血糖値を下げたい。でも……、

運動は苦手、

食事をがまんするのもちょっと、

できれば薬に頼りたくない……。

そんなあなたのために、

血糖値が下がる食べ方があります

JN050492

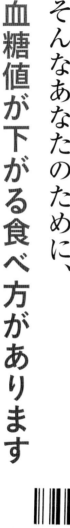

例えば、いつもの「から揚げ定食」を、

▼

ご飯を減らし、から揚げを増やして小鉢もつける。

これで血糖値が下がります。

主食を減らして、おかずを増やす。
麺《めん》の量を減らして、具材を増やす。

そんな食べ方を6ヵ月続けていると、

空腹時血糖値も、
ヘモグロビンA1cも、
みるみる下がり、
体重も減少します。

以下の数字は、私が食事指導をしてきた
患者さんの数値です。

	空腹時血糖値（mg/dl）	ヘモグロビンA1c（%）
48歳女性	278 —5ヵ月→ 139	9.3 —5ヵ月→ 6.4
72歳女性	156 —5ヵ月→ 111	8.5 —5ヵ月→ 6.2
71歳女性	161 —6ヵ月→ 133	8.1 —6ヵ月→ 6.5
47歳男性	147 —12ヵ月→ 111	7.1 —12ヵ月→ 5.7

患者さんたちは、

血糖値を下げるために**運動を始めたわけではありませんし、**

がまんして食事量を減らしたわけでもありません。

もちろん、**薬を使ったり、増やしたりしたわけでもありません。**

それでも、血糖値は改善しました。

これが、血糖値が下がる食べ方「ロカボ」です。

「**ゆるやかな糖質制限**」といったほうが、

イメージしやすいかもしれませんね。

ゆるやかな糖質制限のルールは、
いたってシンプル。

糖質の量を、
1食20～40g、
間食やデザートは1日10g以下
に抑える。

1日の糖質摂取量をトータルで
70～130gに抑えるだけ。
これが、血糖値が下がる食べ方です。

あとは、肉も魚も、
卵も、チーズも、野菜も、
食べたいものをおなかいっぱい
食べてください。

しっかり食べても、
きっちり血糖値は下がります。

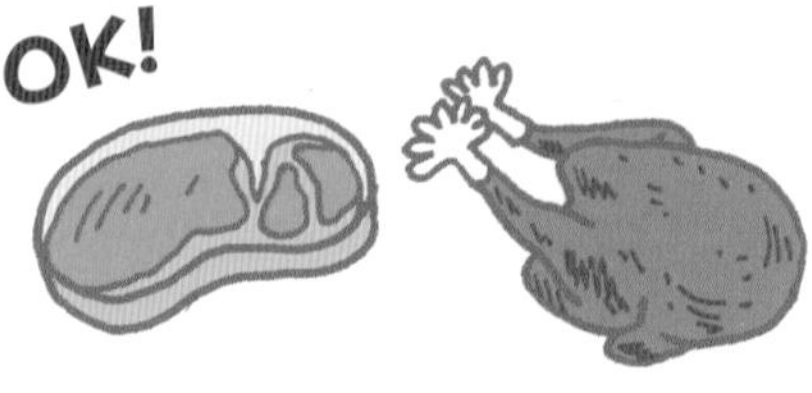

はじめまして、

北里大学北里研究所病院糖尿病センター長の山田悟《やまださとる》です。

私は、糖尿病の専門医として、

これまで高血糖に悩まれている多くの方々に生活習慣指導をしてきました。

現在、**日本には、糖尿病および予備群が**

約2000万人いるといわれています。

食後高血糖を起こしている人まで含めると、さらに多くなると考えられます。

食後高血糖をそのままにしていると、

肥満・糖尿病・高血圧・脂質異常症などの生活習慣病を発症するだけでなく

がん・心臓病・脳卒中などの死に至る病につながることになります。

それでは高血糖状態から抜け出せる方法はあるのでしょうか?

その答えが、本書で紹介する「血糖値を下げる食べ方」です。

私がこの食事法と出合ったのは2008年のことです。

世界的権威のある医学雑誌に掲載された論文の内容に、私は衝撃を受けました。

「カロリー無制限の糖質制限食が肥満者の減量効果に最も優れ、糖尿病患者の血糖管理を最もよくしていた」というのです。

それまで私が患者さんに指導していた

カロリー制限食は、間違っていたのです。

私自身も実践し、継続することの難しさを痛感していた食事療法のカロリー制限食よりも、血糖値をもっとよくコントロールできる食べ方があったのです。

しかも、「おいしく、楽しく、おなかいっぱい食べられる」食べ方です。

本書では、その食べ方のルールと実践するためのヒント、

そして、どうして血糖値が下がるのか、その理由について紹介していきます。

血糖値のためにがまんする食生活は、もう終わりにしましょう。

山田　悟

第1章

運動しなくても血糖値が下がる新しい食べ方

第3章

「ロカボ」実践編 血糖値を下げる食べ方のヒント

第4章

健康貯金は「ロカボ」でつくる！

第1章

運動しなくても血糖値が下がる新しい食べ方

血糖値を上げるのは糖質だけ。高血糖解消には糖質摂取量の管理を

あなたの気になる血糖値。賢く糖質を摂るだけで、みるみる安定していきます。なぜなら、血糖値を上げるのは、糖質だけだからです。

血糖値とは血液の中を流れるブドウ糖の濃度のことで、ブドウ糖（グルコース）は、白米やパンなどに含まれる糖質（でんぷん）が分解されたものです。食事で摂った糖質は、胃や腸の消化管で分解・吸収され、肝臓を経由して血液の中に流れ込みます。

このとき、多くの日本人では血液中にブドウ糖があふれ、血糖値はいったん上がります。しかし、すぐに筋肉や脂肪、脳、内臓などの細胞に取り込まれ、しばらくすると平常時の血糖値に戻ります。

血糖値が高めなのは、原因はいくつかありますが、取り込まれなかったブドウ糖が血液中に多く残っているということ。つまり、**食事で摂る糖質の量をコントロールすれば、血糖値を下げ安定させることができる**のです。

糖質はブドウ糖に分解されて血液中に流れ込む

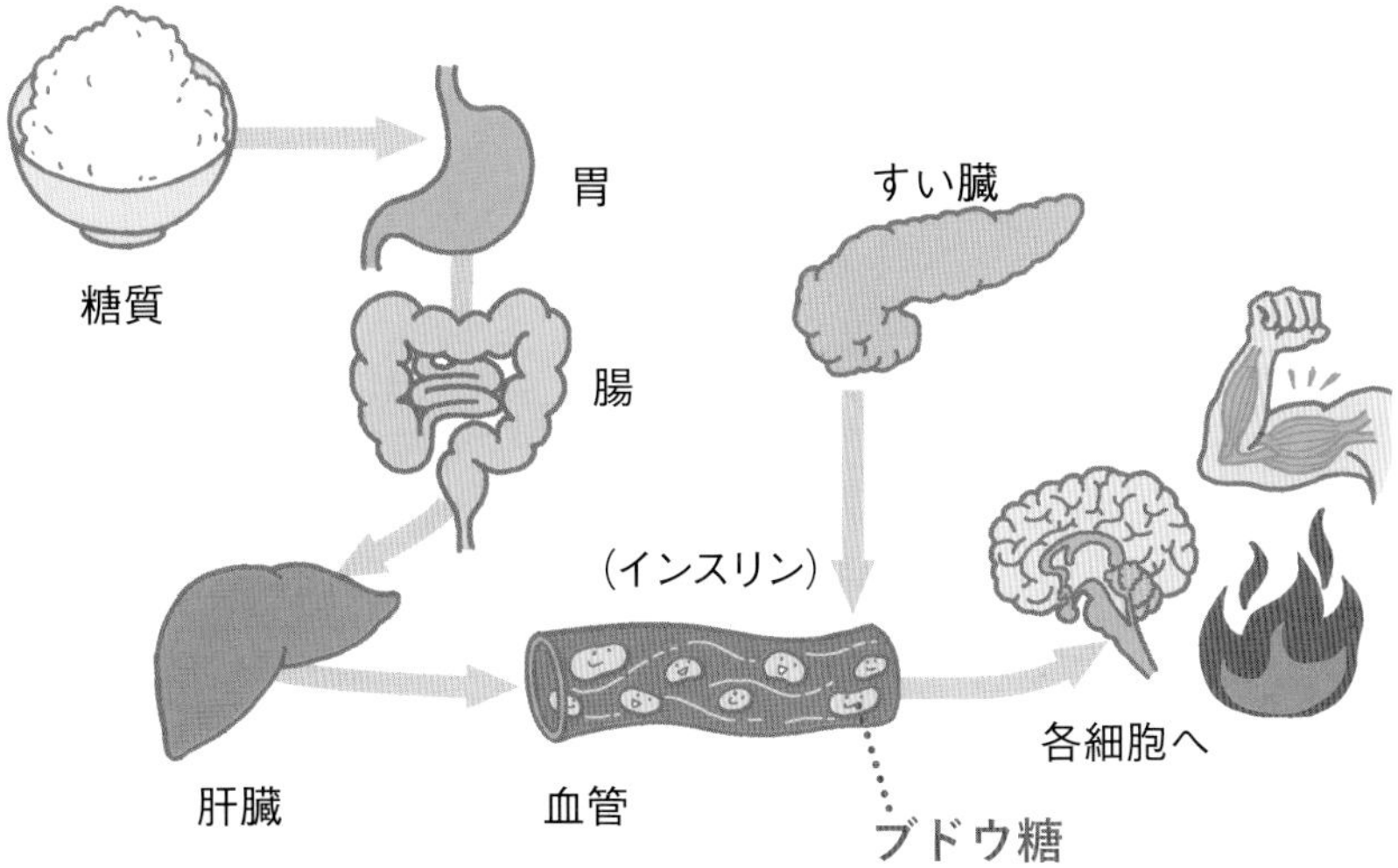

三大栄養素で血糖値を上げるのは糖質のみ

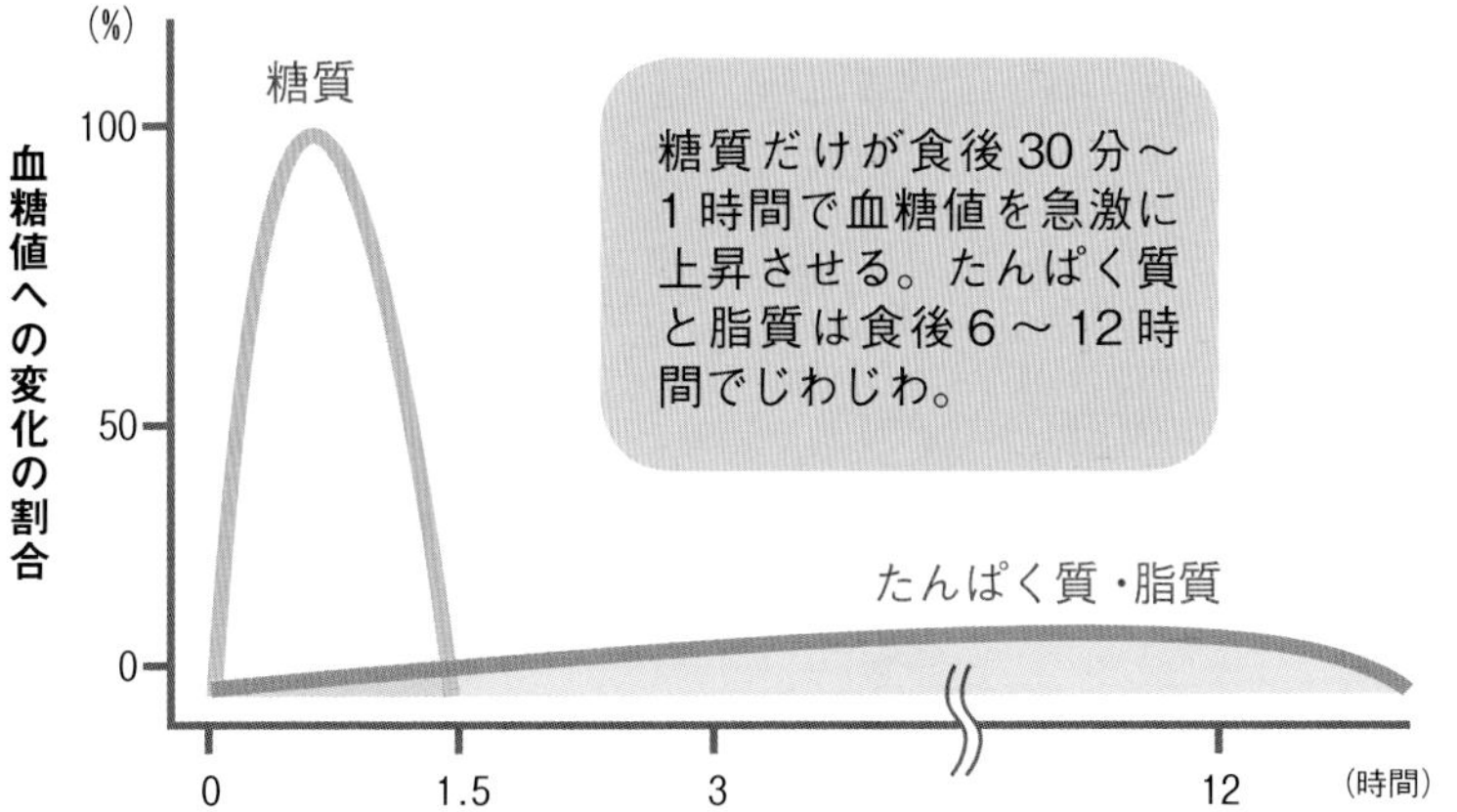

(Life With Diabetes : American Diabetes Assoiation, 2004)

糖質＝炭水化物－食物繊維。甘いものだけとは限らない

糖質は知らなくても、「炭水化物」はよくご存じだと思います。炭水化物は白米やパン、うどん、パスタといった主食として摂る穀類だけでなく、さつまいもやさといもなどのイモ類、砂糖やはちみつ、そして果物にもたくさん含まれている栄養素です。**糖質は**、簡単にいうと、この**炭水化物から食物繊維を除いたもの**になります。

さらに**糖質は、単糖類、二糖類、オリゴ糖類、多糖類、糖アルコール**に分類されます。単糖類とは、ブドウ糖や果糖のように1個だけで存在するもので、二糖類とは、砂糖やショ糖のように単糖類が2つ結合したものです。

オリゴ糖類や多糖類はブドウ糖が複数結合したもので、10個程度までのものをオリゴ糖類、それ以上のものを多糖類と呼びます。多糖類の代表例はでんぷんです。糖質は甘いものというイメージですが、イモ類やカボチャ、おせんべいなどにはでんぷんがたっぷり含まれていて、糖質を多く摂っているということになります。

糖質とは、
炭水化物から食物繊維を除いたもの

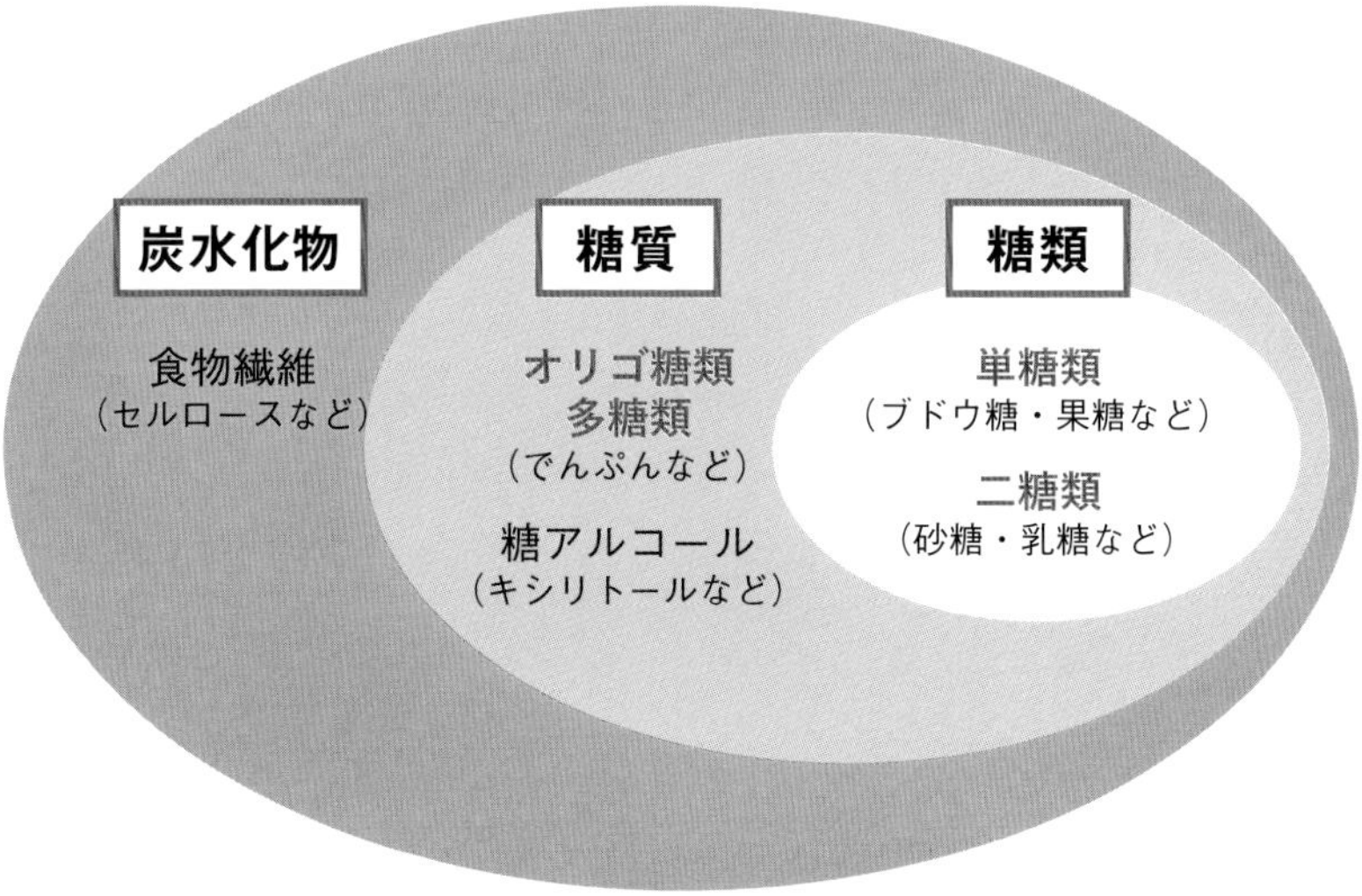

糖質には、単糖類、単糖類２つ結合、
単糖類多数結合がある

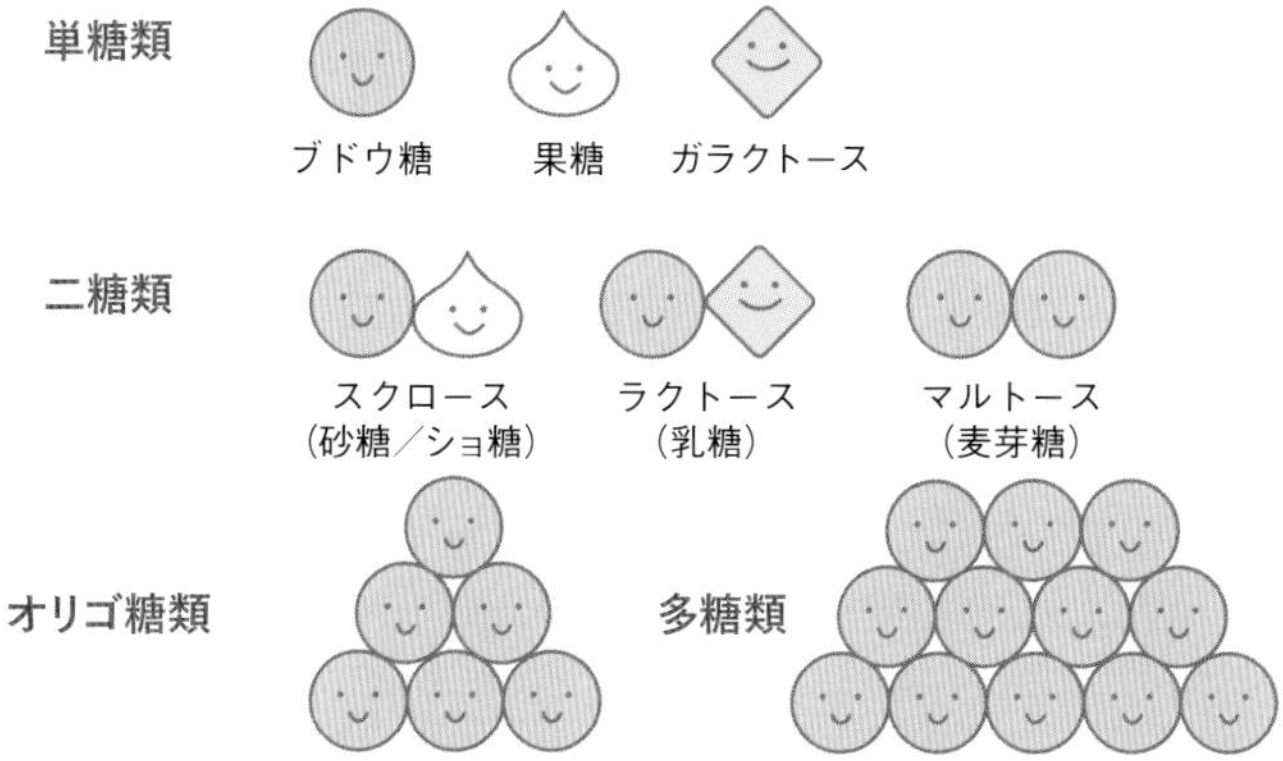

白米食べない、麺類食べない、デザートをあきらめる。そんな食生活はがまんできない

血糖値を上げるのは糖質だけなら、ほとんど摂らなければいいのでは？　そんな短絡的なことを考える人もいると思います。

確かに、**糖質を摂らなければ血糖値が高くなることは理論上ありません**。しかし、あなたは白米を食べない、ラーメンもパスタも食べない、果物もスイーツも食べない……、そんな毎日に耐えられますか？　私はほとんどの方が、そんな生活は無理だと思います。どれほどおいしいものか、体がよく覚えていますからね。

また、糖質を含む食品の多くが食物繊維を含んでおり、**糖質を摂らないようにすると、おのずと食物繊維の摂取量も激減してしまいがちです**。食生活は日々楽しむものであって、賢くあるもの。食物繊維は私たちにとって必要な栄養素。

おいしい食事を続けながら、必要な栄養素をしっかりと摂取しながら、血糖値を下げる。そんな食べ方が、左に紹介する、ゆるやかな糖質制限「ロカボ」なのです。

血糖値が下がる食べ方「ロカボ」のルール

朝食	昼食	夕食	＋	間食
20～40g	20～40g	20～40g		10g

糖質を毎食20～40gに抑えて
食後の血糖値をコントロール

1日の糖質量	70～130g以内

❶ おなかがいっぱいになるまで食べる！

❷ 糖質は抜かない。
毎食20～40 gしっかり摂る！

❸ たんぱく質、脂質、食物繊維を
しっかり摂る！

❹ カロリーなんて全く気にしない！

❺ 炭水化物、たんぱく質、脂質の
バランスも気にしない！

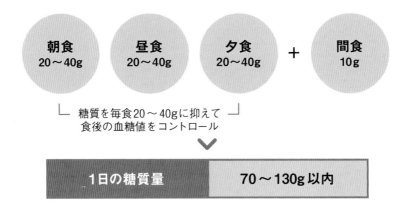

カロリーなんて気にしない。とにかく満腹になるまで食べる

ロカボは、満腹になるまで食べていい食べ方です。というより、私は「**おなかいっぱいになるまで食べてください**」と指導しています。そういうと、血糖値が高めの方やメタボぎみの方は「カロリーが……?」と怪訝《けげん》そうな顔をします。**カロリーなんて気にせずに、とにかく満腹になるまで食べてください。**満腹中枢がしっかり働いて食べすぎることはありません。

食べすぎに不安になるのは、満腹中枢を刺激するのは糖質だけと思っているからではないでしょうか。**たんぱく質も、脂質も、食べると消化管ホルモンの分泌《ぶんぴつ》が高まって糖質以上に満腹中枢を刺激し、「おなかいっぱい」を知らせてくれます。**[*1]

また、たんぱく質と脂質は、胃から分泌され空腹感をもたらすグレリンの分泌を長く抑制するため、腹持ちのいい食事になります。[*1,2] 逆に、糖質はグレリンを抑制する力が弱いため、おなかいっぱい食べても、すぐにおなかがすくことになります。[*1,2]

たんぱく質も脂質も、食べると満腹中枢を刺激する

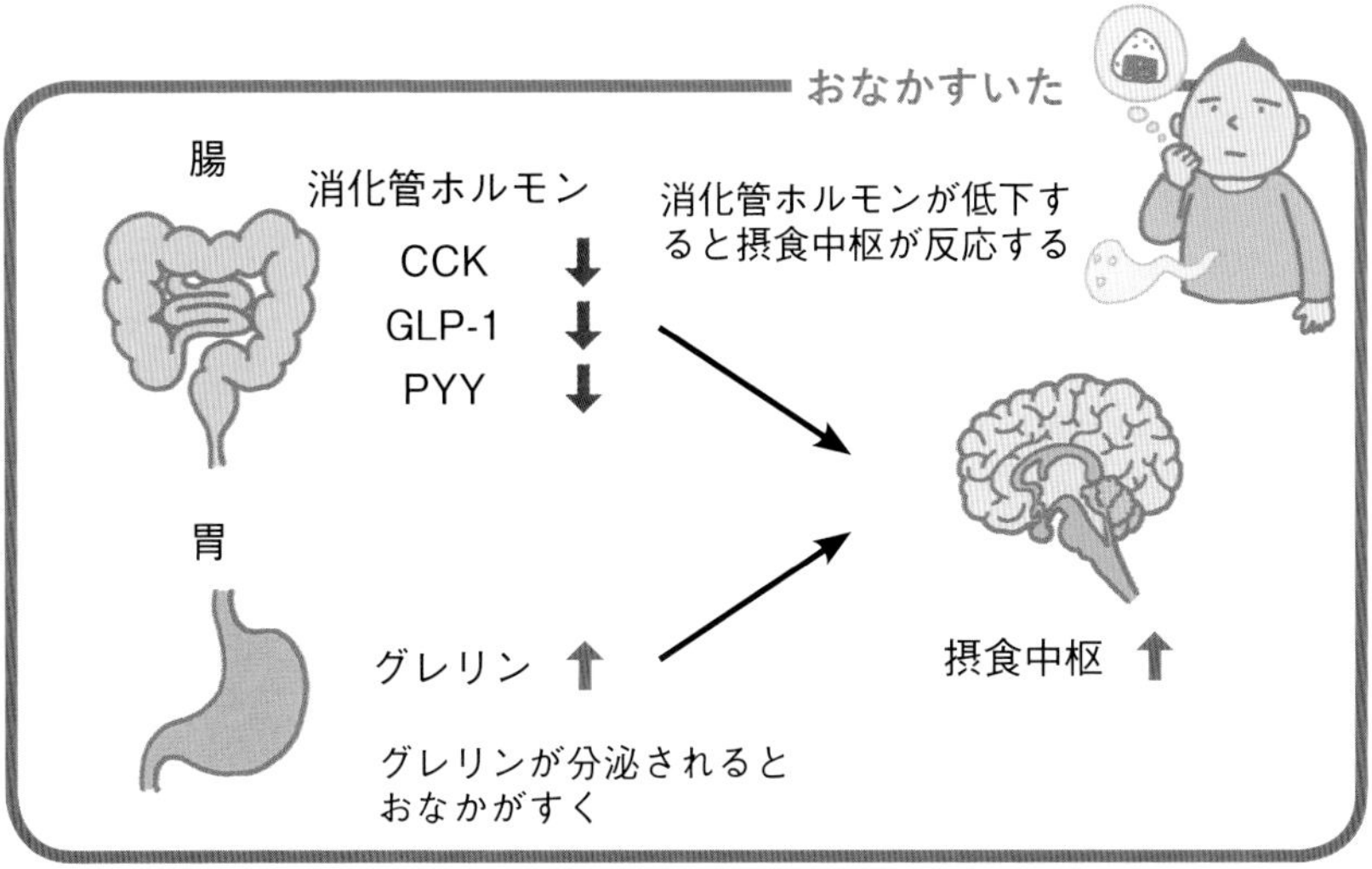

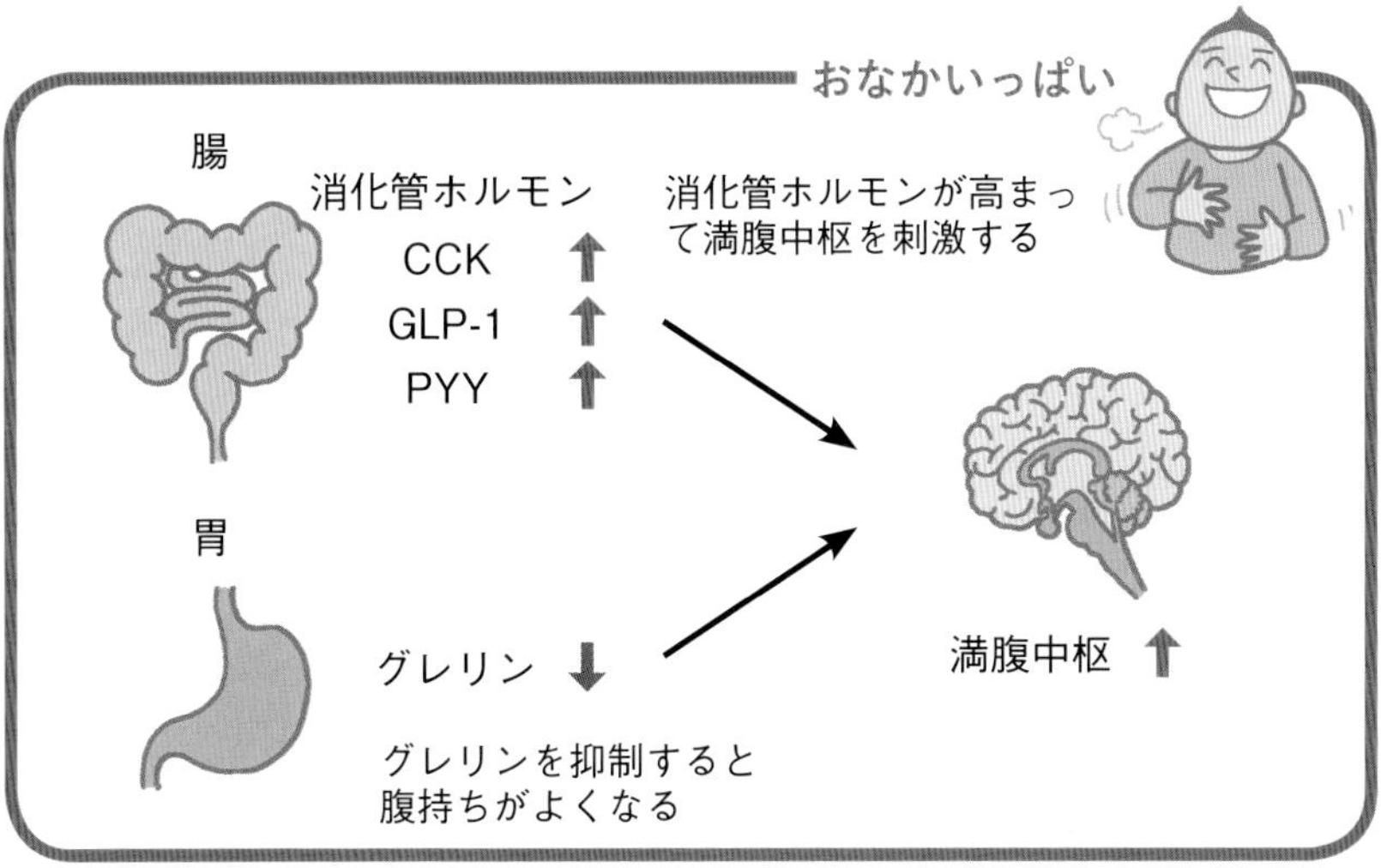

カロリー制限は長続きしない。私もあえなく挫折した

脂質OK、たんぱく質OKというルールを見ると、気になるのは、やはりカロリーのことでしょう。「健康のための食事＝カロリー控えめの食事」という常識が刷り込まれている頭では、どうしても引っかかってしまいます。

糖尿病治療のための食事療法や血糖値が高めの人の食事指導においても、カロリー制限食が推奨されているのですから、そう思ってもしかたがありませんよね。どうしてカロリー制限が高血糖の改善にいいといわれているのかというと、「糖尿病患者は太っている」からです。

ただし、これは欧米人の話。後ほどくわしく説明しますが、**日本人の糖尿病患者の半数以上は肥満ではありません**。[*3]

そもそもカロリー制限は実践するのも、長く続けるのも難しい食事法です。

10年以上前は私も患者さんに指導していました。そして、自分自身も実践しました。

「食べたい」という衝動には、いつか耐えられなくなる

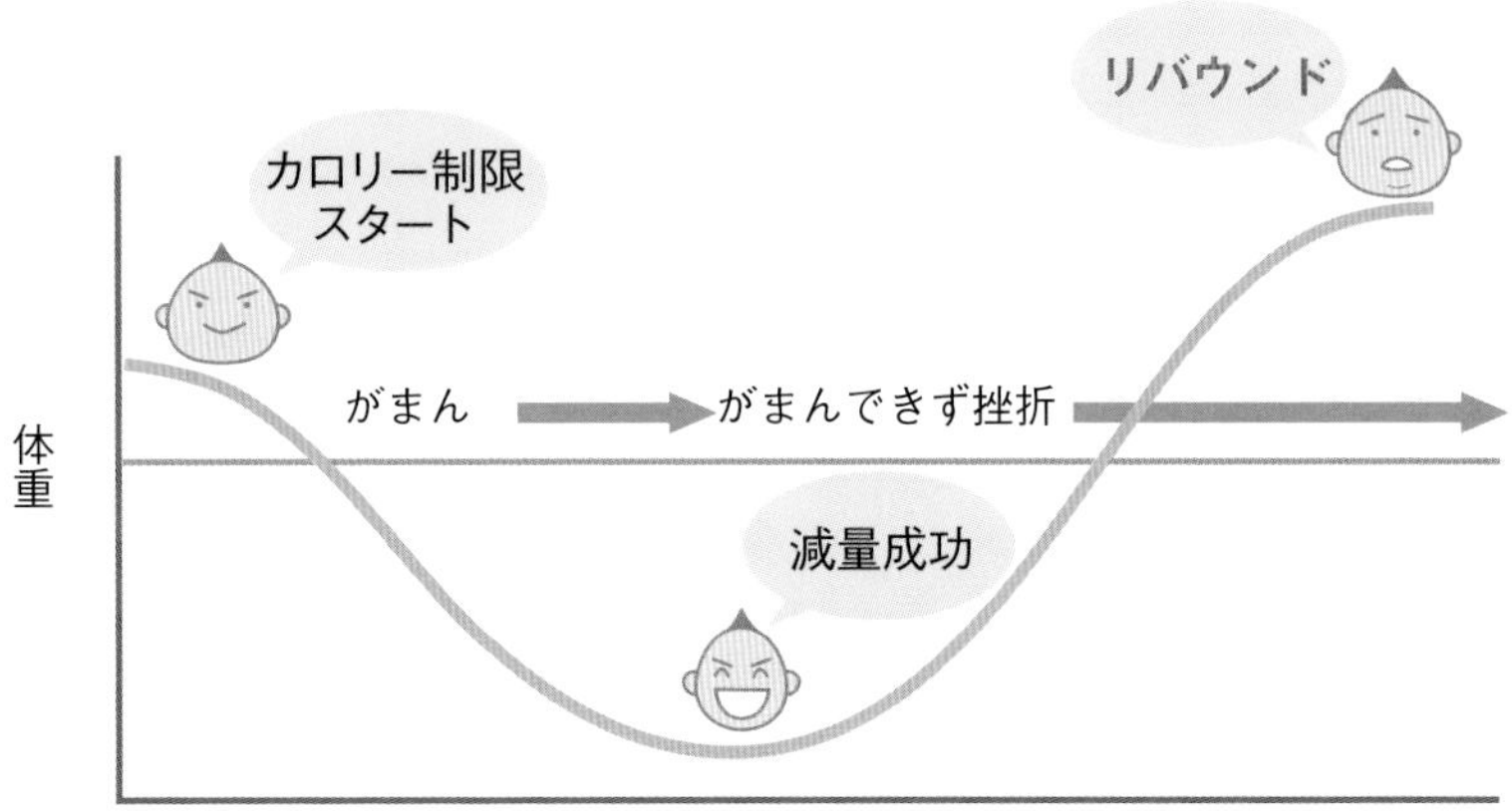

そして、その経験からの結論です。カロリー制限は万人にとって継続不可能な食事法です。私は管理栄養士さんを前にセミナーすることも多いのですが、ほとんどの方がカロリー制限経験者ですが、継続できている人はわずか（またはゼロ）でした。

まず、正確にカロリーを計算するのが難しい。[*4] 結局、自分の感覚で腹八分を維持しようとしますが、いつまでも「おながすいた」状態を続けられなくなります。「食べたい」という衝動に耐えられなくなるのです。そして、リバウンド。これが、カロリー制限の現実。おなかいっぱい食べられないと、決して続かないのです。

カロリー制限するより、おなかいっぱい食べるほうが健康的!?

カロリー制限が健康にいいといわれるのは、あらゆる生活習慣病につながる肥満改善だけでなく、アンチエイジング、糖尿病治療にも効果が期待できると考えられてきたからです。

確かにカロリー制限は、太っている人のための減量法としては有効です。摂取カロリーを制限すると、数ヵ月後にはしっかりやせられます。しかし、継続できないことは前述のとおりです。[*5]

そして、アンチエイジング（加齢による体の老化を防ぐ）に関しては、あまり期待できないことがわかってきました。[*6] **心臓病の発症率は、カロリー制限をしてもしなくても変わりません。**[*7]

それどころか、**カロリー制限をすると骨密度の低下を招き、骨折のリスクが高まる**ことになります。[*8, 9] 高齢者の骨折は寝たきり生活につながるため、とてもアンチエイジ

カロリー制限しても心臓病は減らない！

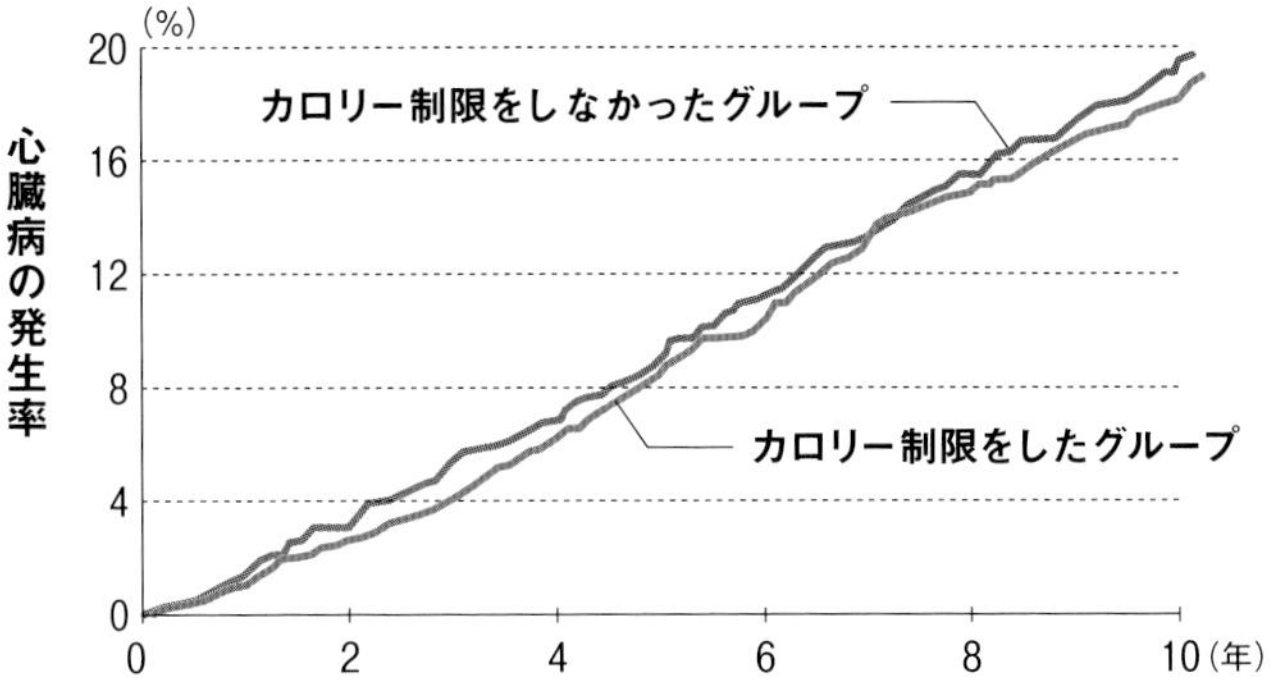

(N Engl J Med. 2013,368,1279-1290)

ングとはいえません。

カロリー制限で栄養不足になるほうが、よほど体に悪いのです。

糖尿病に関しては、カロリーを制限する食事法では、糖尿病になって4年ないし5年以上経過した患者では肥満が改善できたとしても血糖管理はできません。*10,11

元来、日本人の糖尿病患者は半数以上が肥満ではないのです。*3

肥満でもない２型糖尿病患者にカロリー制限が適しているとはいえません。それでもあなたは、空腹をがまんしてまでカロリー制限を続けたいと思いますか？

「食事の50～65％を炭水化物で摂ろう」は、なんとなく決められた数字？

糖質を減らしましょうというと、「栄養のバランスが……」と不安になる人もいます。栄養のバランスとは、三大栄養素の比率「炭水化物50～65％、脂質20～30％、たんぱく質13～20％」（厚生労働省『食事摂取基準２０２０』より）のことでしょうか？それは今すぐ忘れてください。**欧米では、現段階での話ですが、健康にいいという栄養素比率は明言されていません。**

それでは、日本の数字は何を根拠に決められたものなのか？という疑問が生まれると思いますが、実は、**三大栄養素の比率には明確な根拠があるわけではないのです。**私たちの体に必要なエネルギー源を、炭水化物、脂質、たんぱく質から、どれくらいの割合で摂るか。

最初に決めたのがたんぱく質。体内で合成できないアミノ酸（必須《ひっす》アミノ酸）を摂るために下限が決まり、上限については十分な根拠はないと明言したうえで20％とし、たんぱく質は13～20％と決まりました。

次が脂質。脂質にも必ず摂らなければいけない脂肪酸（必須脂肪酸）があるため下限が決まりました。次に、飽和脂肪酸を食べすぎると動脈硬化症になるリスクが高まるとされていたので、飽和脂肪酸の摂取の上限を日本人の中央値（１００人のうち50人めに多い人の値。一定の条件下では平均値と一致する値）である７％に設定し、飽和脂肪酸を７％以下に抑えるためにはということで脂質全体の上限を30％とし、脂質は20～30％に決まりました。

最後が炭水化物です。**炭水化物の50～65％は、１００％からたんぱく質と脂質を引いた数字**です。糖質はいくら摂っても安心だとされがちなので、足りないエネルギーは炭水化物で摂りましょうということになったのです。

『食事摂取基準２０２０』の中にも、たんぱく質は35％未満であれば心配なしとする論文のことが記載されています。上限を20％にする根拠はありません。

脂質については、飽和脂肪酸を控えることで逆に心臓病が増えた、あるいは増えか

三大栄養素の摂取比率に根拠なんてない！

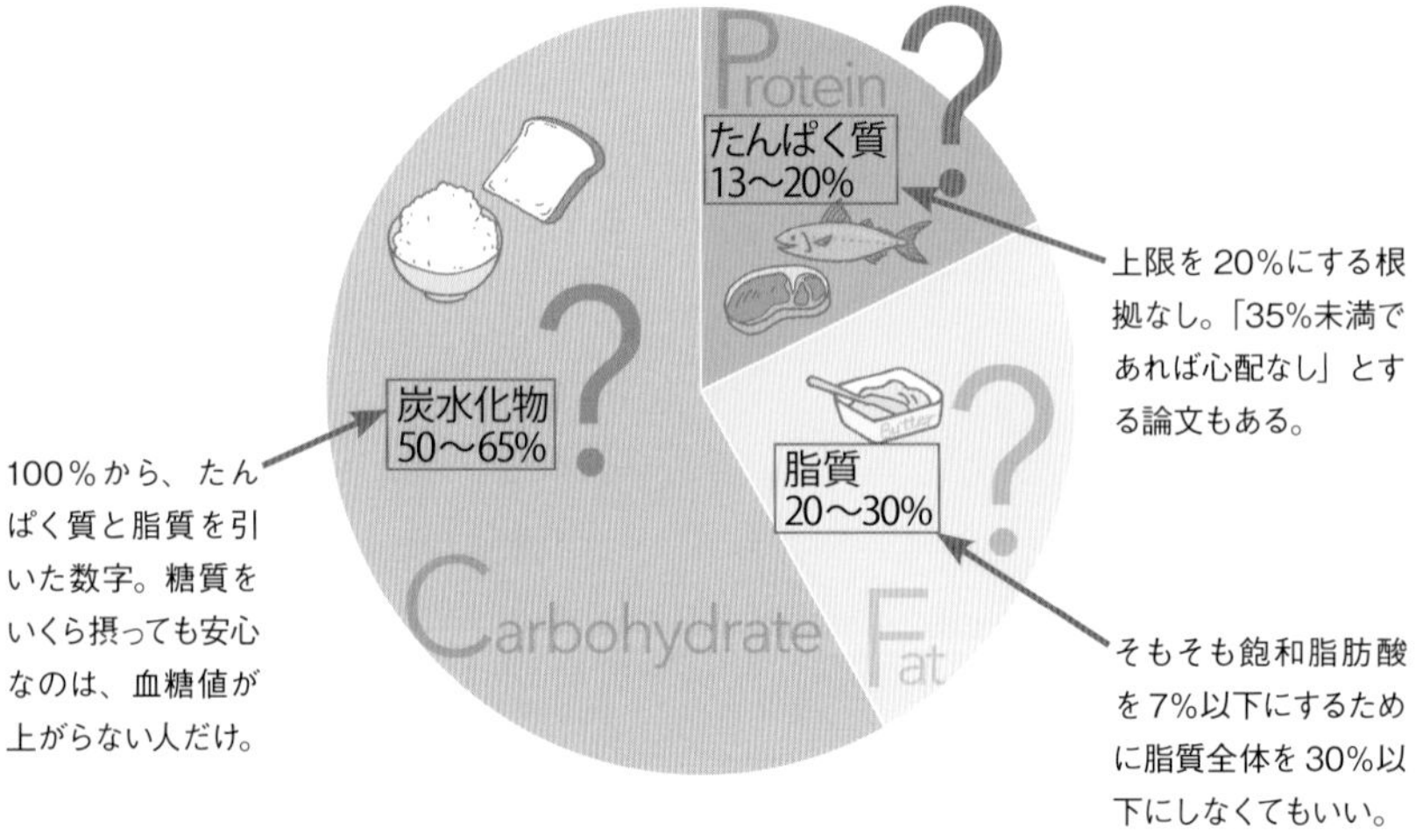
Protein
たんぱく質
13〜20%
上限を20%にする根拠なし。「35%未満であれば心配なし」とする論文もある。
Butter
脂質
20〜30%
Fat
そもそも飽和脂肪酸を7%以下にするために脂質全体を30%以下にしなくてもいい。
炭水化物
50〜65%
Carbohydrate
100%から、たんぱく質と脂質を引いた数字。糖質をいくら摂っても安心なのは、血糖値が上がらない人だけ。

ねないという論文（それもきちんと因果関係を見るためにデザインされた無作為比較試験の論文）が複数存在します。[*12〜14]

さらに、よく考えてみれば飽和脂肪酸を7％以下にするためには脂質全体を30％以下にしなくてはならないということはありえません。そもそも、**糖質をいくら摂っても安心なのは血糖値が上がらない人だけ**です。

何も根拠がない。これが栄養バランスの真実。カロリー同様、全く意識することはないのです。

糖質を本当に欲しいのは脳と赤血球だけ。理論上は糖質は口から摂取しなくても大丈夫

糖質を控えるなら「糖質抜き」でもいいのでは？　と質問されることがあります。ロカボはゆるやかな糖質制限です。

いつもの食事から糖質を減らすことを推奨していますが、糖質を極端に抜くのはすすめていません。極端な糖質制限は、**カロリー制限と同じように長続きしません**からね。「明日から主食・デザート抜き」といわれても、なかなか始められないと思います。ですからロカボでは、**１食20〜40ｇ。デザートや間食で10ｇ。１日70〜１３０ｇ**というルールにしているのです。

１日糖質１３０ｇを上限にするというのは、アメリカ糖尿病学会が２００６年に定めた糖質制限食の定義に合致しています。[*15]

糖質は私たちの体にとって大切なエネルギー源ですが、ほとんどの細胞は糖質も脂

質も同様にエネルギー源にします。**エネルギー源が糖質でないと困る細胞は、細胞としてブドウ糖しか利用できない赤血球と、血液脳関門というところを脂質が通れないため脂質を利用できない脳だけ。**赤血球と脳が消費する糖質量が１日約１３０ｇなのです。これは体格・性別・運動量に関係ないとされています。[*16]

しかし、実は肝臓がさまざまな物質をもとにして血液中に放出しているブドウ糖の量が１日１５０ｇ程度といわれています。[*17] ですので、わざわざ口から糖質を摂取せずとも、実は赤血球も脳もブドウ糖をちゃんと利用できるのです。

なお、糖尿病の人では、これが２５０ｇ程度にまで増加しているとされています。[*17] 就寝前から翌朝にかけて、夜中に何も食べていないのに血糖値が上昇する方は、肝臓のブドウ糖の放出が１５０ｇからだいぶ増加しているということになります。

なお、**1食ごとに上限40gを設定したのは、食べるたびに食後に高血糖を起こさないためです。**１日３食として１３０ｇ÷３＝43・３…。この一の位を切り捨てて40ｇです。後ほどお話ししますが、食後の高血糖をくり返していると血糖値がさらに高くなるだけでなく、糖尿病や動脈硬化症の発症につながることもあります。

糖質を摂らなくても大丈夫!?

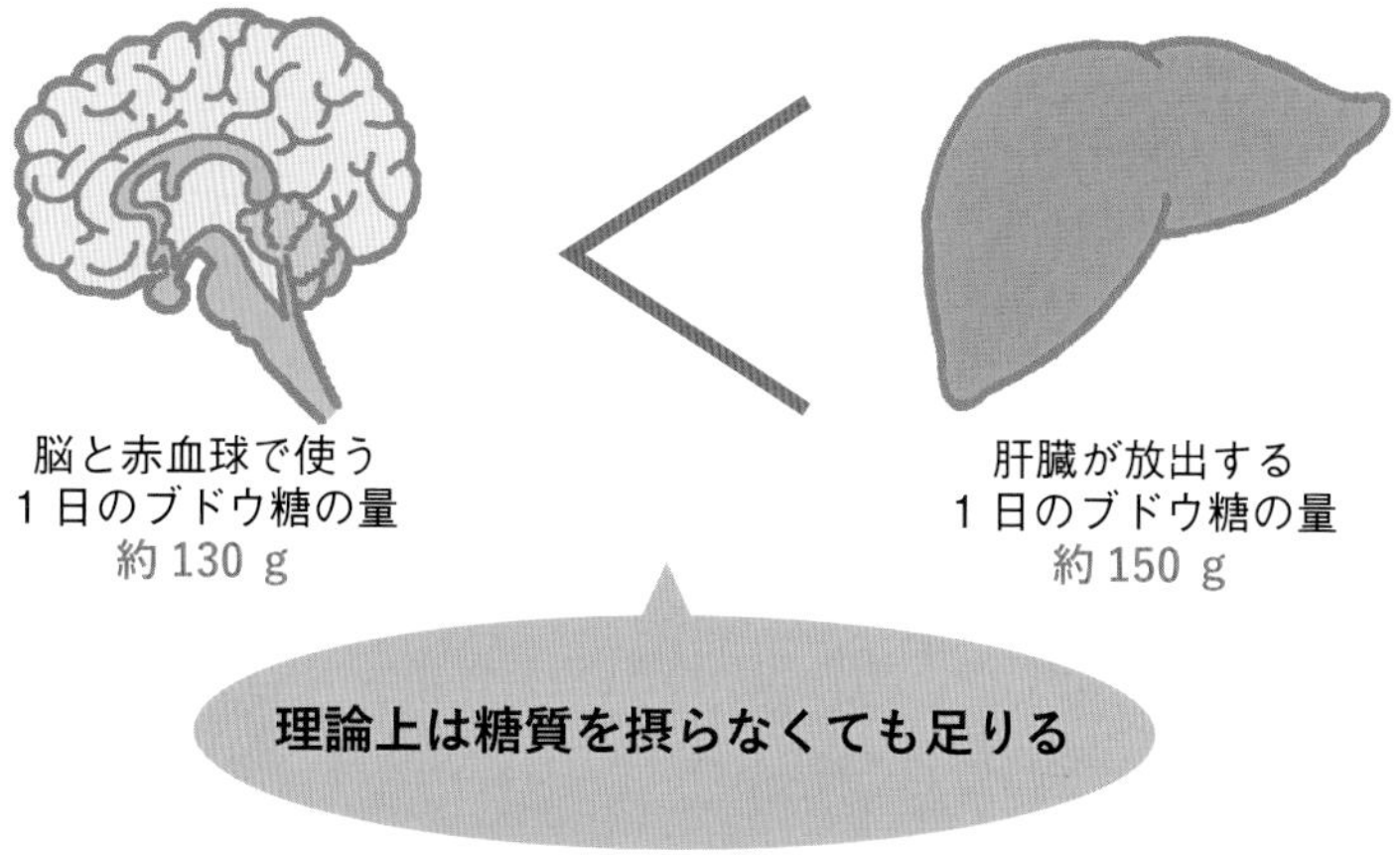

下限は、体が極限の飢餓《きが》状態になったと判断しないようにするためです。

飢餓状態や1日の糖質摂取量が50ｇ以下になると、分解された皮下脂肪を利用して肝臓でケトン体という物質がつくられます。ケトン体は優秀なエネルギー源で、ほぼすべての細胞で利用できるのですが、ごくまれに、おそらくはケトン体の代謝障害を先天的に持つ方がいて、そうした方では著明な高ケトン血症から意識障害に至るリスクがあります。

しかし、先天的ケトン体代謝障害の検査なんて、一般の方は受けていません。1日3食として50ｇ÷3＝16・6…。この一の位を四捨五入して20ｇ。下限20ｇは、ケトン体を回避する安全域になります。

脂（油）を摂りすぎても体に悪くない!?
肉も魚も卵もおなかいっぱい食べてください

おなかいっぱい食べてもいいのがロカボですが、脂質のことを気にする方は多いと思います。「脂（油）を摂ると健康を害する」。私も、患者さんにカロリー制限を指導していたころは、そう思っていました。脂質を摂りすぎると（血流に乗って）脂質異常症になり、（体に吸収されれば）肥満になり、（血管にこびりつけば）動脈硬化症になる。しかし、そうではなかったのです。

そのことをいい切ったのが、アメリカの雑誌『タイム』の２０１４年6月23日号。表紙は、「Ｅａｔ Ｂｕｔｔｅｒ（バターを食べろ）」。誌面の中では、長らく心臓病を引き起こす原因といわれてきた脂質の制限は間違っていたという特集を組みました。

翌２０１５年にはアメリカの食事摂取基準が改訂され、「**食べる油は制限しません。なぜならば、それを控えても心臓病の予防にも肥満の予防にもつながらないからです**」と明記されます。[*18] 肉も魚も、卵も油脂もおなかいっぱい食べていいのです。

油を控えても動脈硬化症の発症率は下がらない！

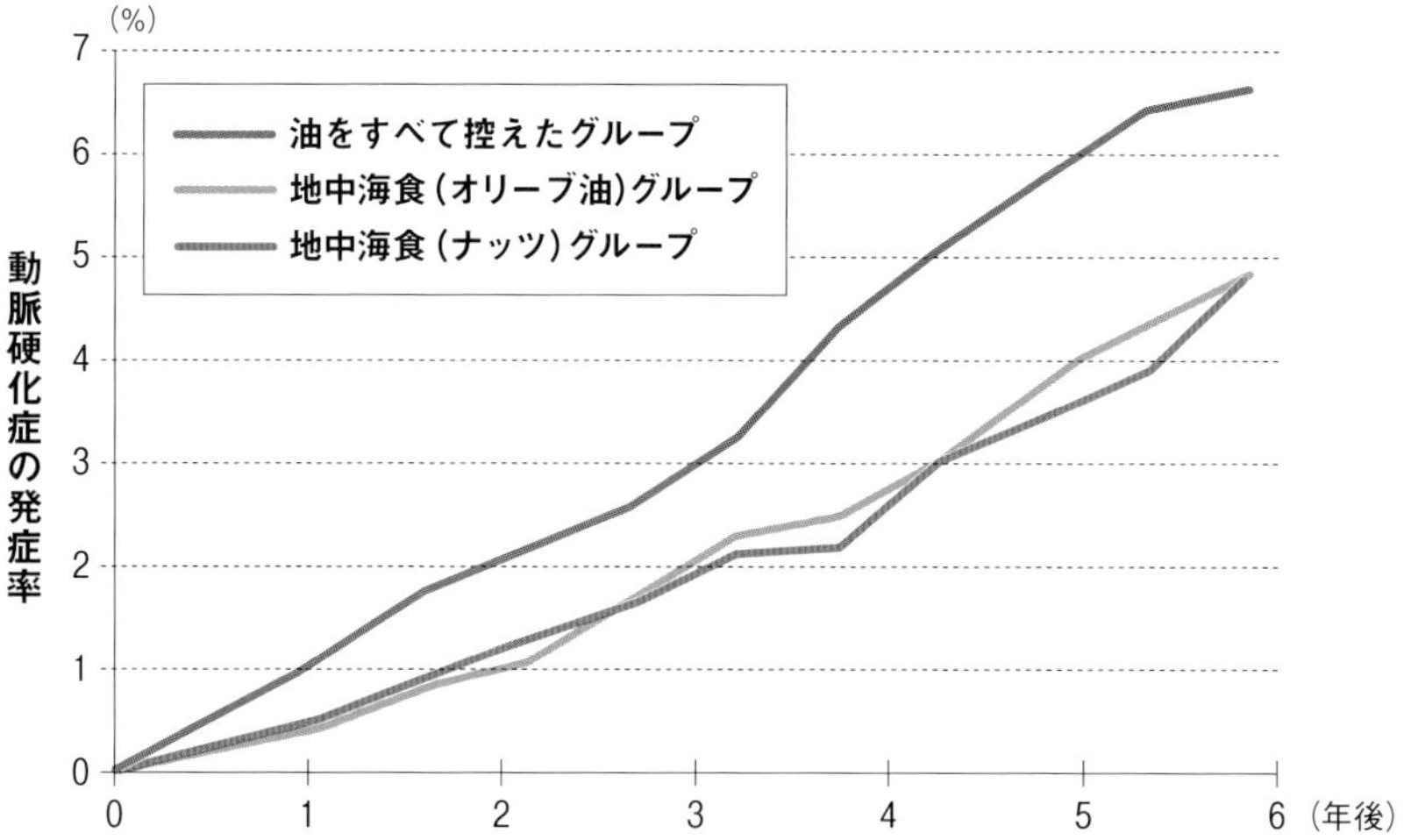

(N Engl J Med.2013,369,145-154)

日本人は動物性の脂の摂取量で心筋梗塞の発症率は変わらない

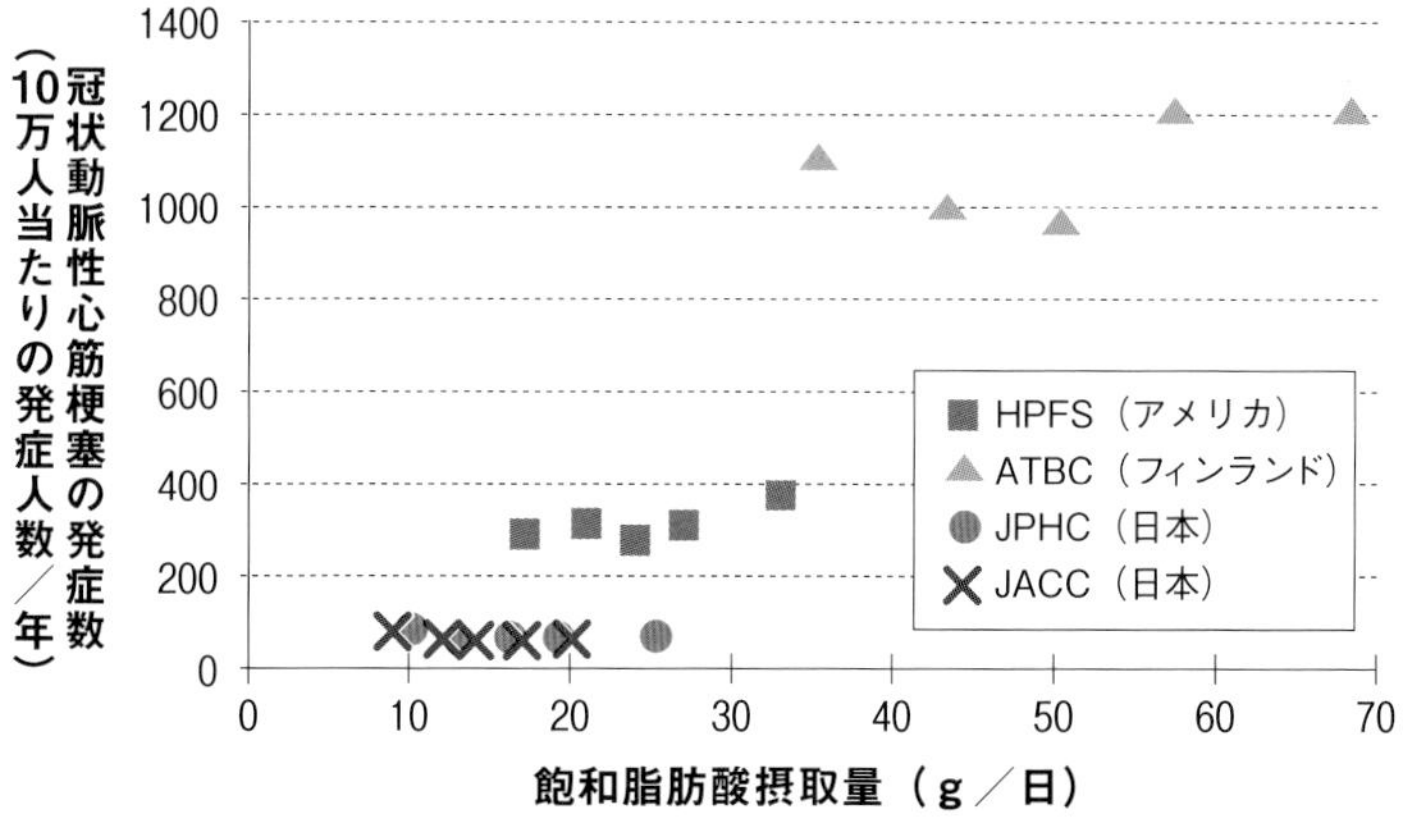

(Eur Hedrt J 2013,34,1225-1232)

脂（油）を摂っても太らない。逆に摂るほど中性脂肪は減る

２０１５年のアメリカ食事摂取基準は、食べ物のコレステロール基準を撤廃しました。[*18]「食べるコレステロール＝卵」は制限しません、ということです。

なぜなら、動脈硬化と関連が深い、悪玉といわれるＬＤＬコレステロールは、食事でコレステロールを控えても減るかどうかわからないからです。逆に控えることによって、肝臓のコレステロール合成が増えるだけ。何もいいことが起こらないと考えられるようになりました。

「脂（油）を摂ったら太る」。これも根強く残る誤解です。

それでは問題です。脂質制限をしながらカロリーを制限するグループ、オレイン酸を中心に脂質をしっかり摂りながらカロリー制限をするグループ、そしてカロリー制限をせずに糖質だけを制限するグループ。2年間継続してもらったとして、どのグループで最も減量効果があったと思いますか？

脂質を摂るほど中性脂肪値は下がりやすくなる！

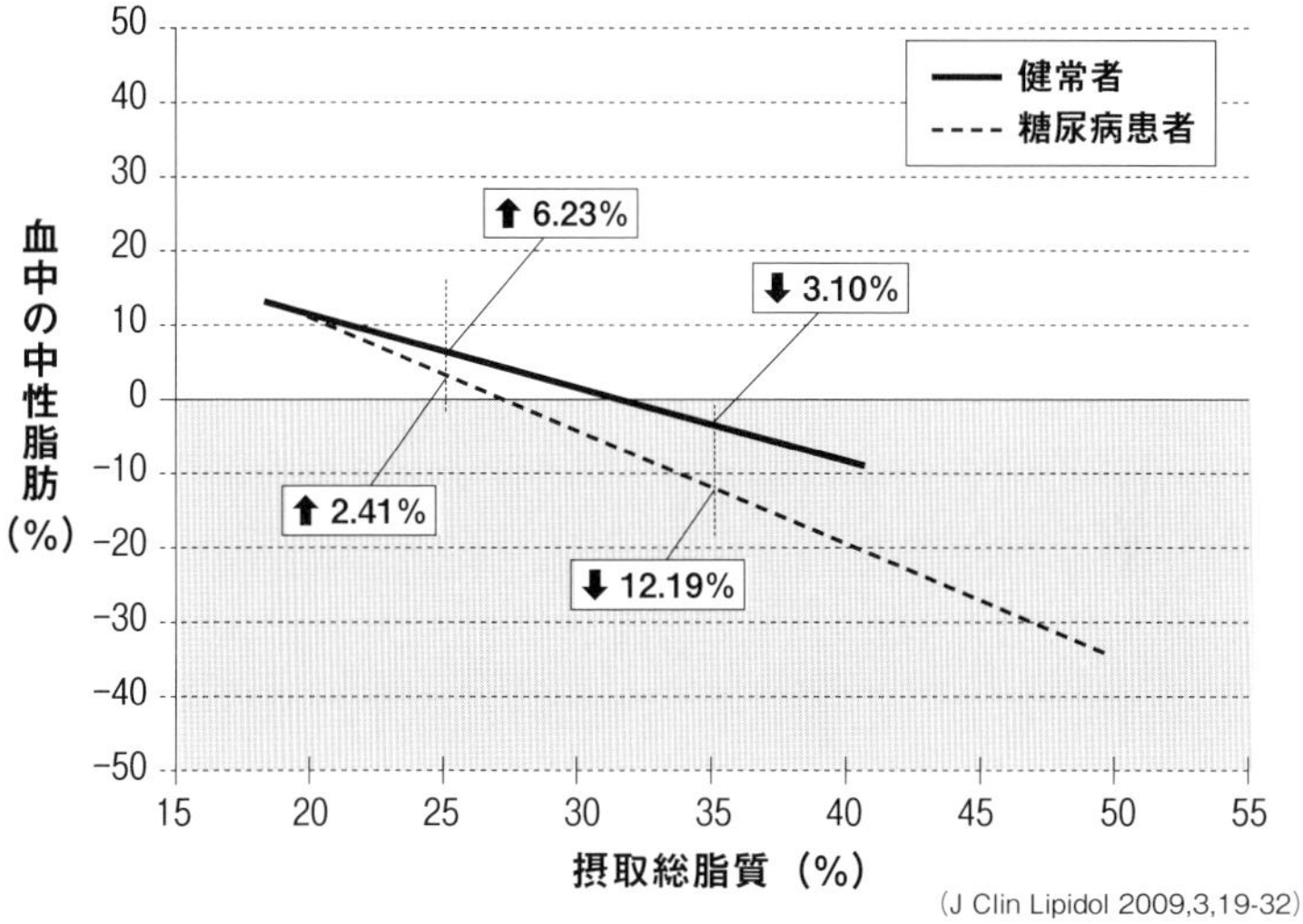

（J Clin Lipidol 2009,3,19-32）

最も減量できたのは糖質だけを制限したグループでした。脂質を摂ったからといって太るわけではないし、脂質を摂りながらでも糖質を減らせばやせられるのです。[*19]

ある研究では、「脂質摂取が増えるほど、血中の中性脂肪値が低下しやすい」と報告されています。[*20,21] コレステロールもそうなのですが、血中の中性脂肪は、基本的に肝臓で合成されたもので、食べる脂が多いと肝臓の中性脂肪合成は休憩し、摂取が少ないと中性脂肪合成活動が活発になります。

「脂（油）を摂ったら太る」とは妄想に過ぎないのです。

たんぱく質の摂りすぎは危険でもなんでもない

ロカボでは、脂質やたんぱく質を今まで以上に食べることになります。

脂質はここまで話してきたように、食べても健康を害することもなければ、太ることもありません。それでは、たんぱく質はどうなの？　たんぱく質にも誤解に基づく懸念がありました。現在の栄養バランスがいいと決められたころは、**たんぱく質は「食べすぎると腎臓《じんぞう》を傷める」といわれていた**のです。

この常識も間違っていました。２０１３年および２０１９年に発表されたアメリカ糖尿病学会のガイドラインでは、「たんぱく質の制限は推奨できません。なぜなら、制限しても何もいいことがないからです」と明記されています[*22,23]。たんぱく質を増やしても減らしても、腎臓の機能には全く影響はないのです[*24]。

それより問題なのは、日本人のたんぱく質の摂取量の少なさです。

２０００年代ごろから摂取量が急激に減少してきて、今では１９５０年代と同じ水

日本人はたんぱく質の摂取量が不足している！

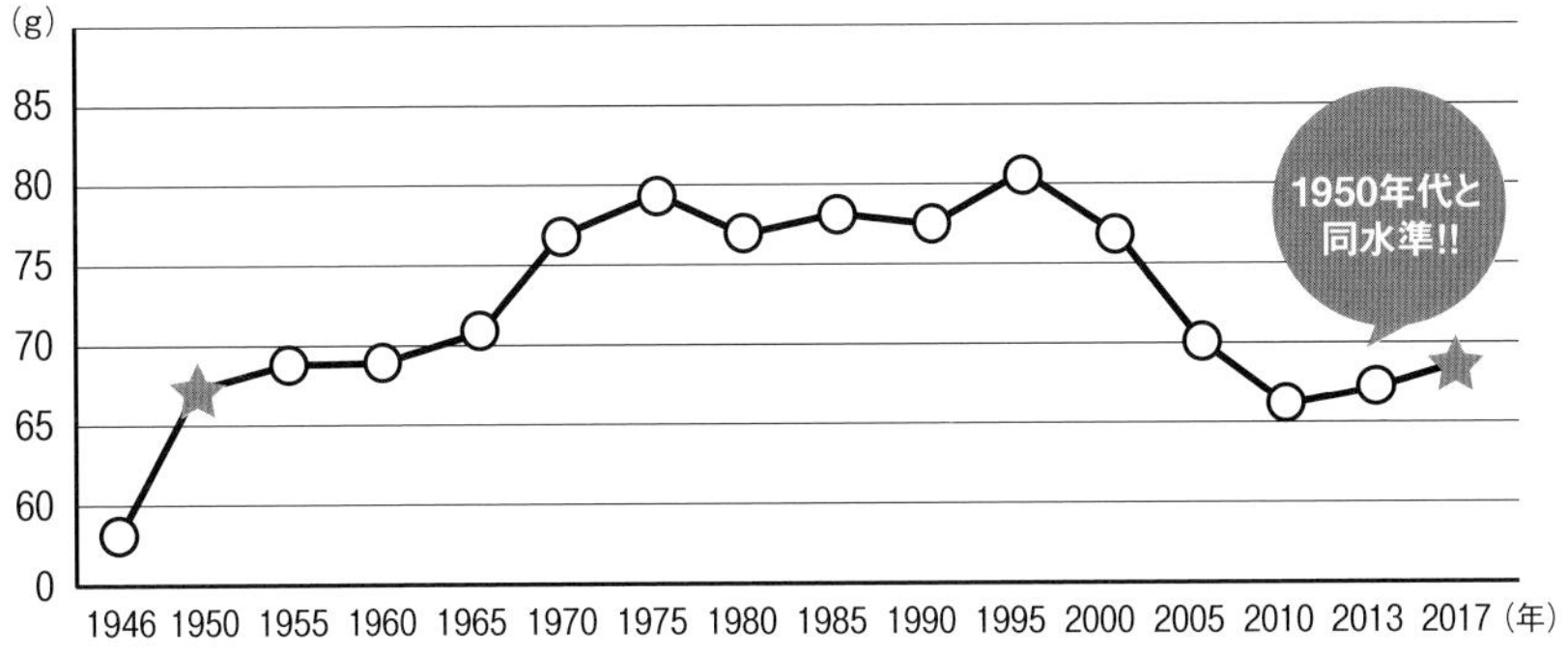

（国民健康・栄養調査／厚生労働省より）

準。[25] 戦後すぐならともかく、今はどこの国の食材でも手に入る豊かな時代です。どうしてなのでしょうか？　健康志向やダイエット志向なのかもしれませんが、健康になりたいなら、やせたいなら、むしろ、たんぱく質はしっかり摂るべきです。

ロカボ実践者の平均的なたんぱく質摂取量を検証したところ、体重1kg当たり1・6gほどになっていました。[26] この数値は、実はたんぱく質摂取が筋肉合成につながるいちばん効率のいい摂取量になります。[27,28] ロカボであれば、腎臓を傷める心配が不要であるばかりでなく、将来の寝たきり予防にもつながると期待できるのです。

血糖値コントロールに頼りになる食物繊維はもっともっと摂っていい

血糖値を下げるために健康的な食事を考えるようになると、ビタミンやミネラルなどほかの栄養素のことも意識するようになります。安心してください。糖質をたっぷり含むイモ類は注意ですが、**ロカボなら緑黄食野菜をはじめとするイモ類以外の野菜をたっぷり食べられます**。

野菜にはビタミンやミネラルなどの栄養素がたくさん含まれているし、第六の栄養素ともいわれる「食物繊維」も豊富に摂れます。

2014年にフランスのグループによって、**食物繊維は肝臓に働きかけて血糖値の上昇を抑制する**ことが明らかになりました。[*29] もともと食物繊維は、糖質の消化・吸収をゆるやかにすることはわかっていましたが、血糖値が高めの人にとってはさらにうれしい効果です。

また、**食物繊維は、細胞が血液の中を流れるブドウ糖を取り込むときに、脂肪細胞**

日本人の食物繊維の摂取量は全然足りていない！

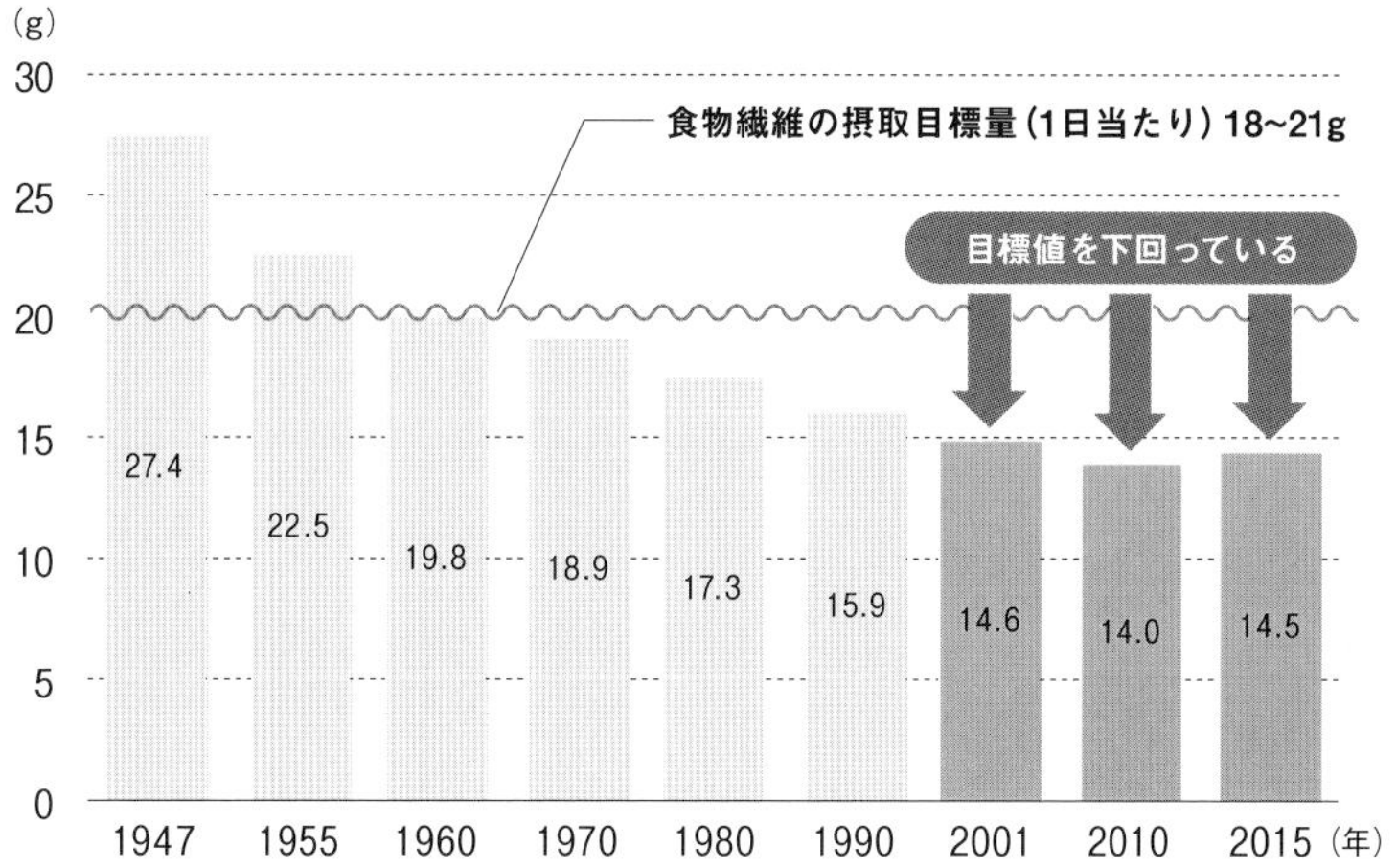

（国民健康・栄養調査／厚生労働省より）

側だけにフタをして、筋肉への取り込みを優先させることが期待されています。[*30]

そんな頼りになる食物繊維ですが、日本人の摂取量は全然足りていません。

厚生労働省の「日本人の食事摂取基準（２０２０年版）」によると、１日の摂取量の目標は18～64歳の男性で21g以上、女性で18g以上。ところが実際は大きく下回っているのです。

脂質やたんぱく質だけでなく、食物繊維もおなかいっぱい食べられるのがロカボ。おなかいっぱい食べて、その上で血糖値は下がります。

運動をはじめるよりもらく。今日からはじめられるし、長く続けられる

高めの血糖値を解消するために運動をはじめる人もいます。もともと運動が好きな人ならともかく、**血糖値のためにわざわざ運動をはじめるのはなかなか大変**です。時間をつくらないといけないし、定期的に続けなければいけません。その点、だいたいの人が1日に3回食事をしていると思います。私が**糖尿病の専門医としてロカボをすすめるのは、食事なら誰でもすぐにはじめられるから**でもあります。

血糖値を下げるための食事が続かないのは、極端なことにチャレンジするから。がまんする食生活は続きません。だから、おなかいっぱい食べても血糖値が下がる食べ方「ロカボ」なのです。**今の食生活を続けていると、いつか糖尿病を発症する**でしょう。腎症のような合併症になれば、大好きなお米やラーメンどころか、水すらも自由に摂取できなくなってしまいます。どうか、賢くロカボに取り組んでいただいて、おいしく楽しい食生活を享受しながら糖尿病予防、肥満・メタボ改善を実現させてください。

第2章

白米の代わりにから揚げを食べると血糖値が下がる

日本人の血糖異常者数は約2000万人。40歳以上に限定すると約3人に1人

ロカボならおなかいっぱい食べても大丈夫。あなたが不安になるカロリーも、脂質も、本書の食べ方を実践すれば健康に悪い影響を及ぼすことはありません。

それでは、ロカボを続けるとどうして血糖値が下がるのか？　この章では専門的な話をすることにしましょう。まず、あなたと同じように血糖値が高めの人が日本にどれくらいいると思いますか？

日本には、血糖異常と判断される人が約2000万人います。**国民の約6人に1人が血糖異常者**なのです。40歳以上に限定すると約3人に1人になります。血糖異常者とは、糖尿病患者と予備群のこと。正確には、「糖尿病が強く疑われる人」と「糖尿病の可能性を否定できない人」という分類になります。疑われる人で通院して治療を受けている人は、2019年の厚生労働省からの発表によると約329万人になります。

判断基準は、**糖尿病が疑われる人は空腹時血糖値が126㎎／dℓ以上、食後血糖値**

日本人の血糖異常は2000万人を超えている！

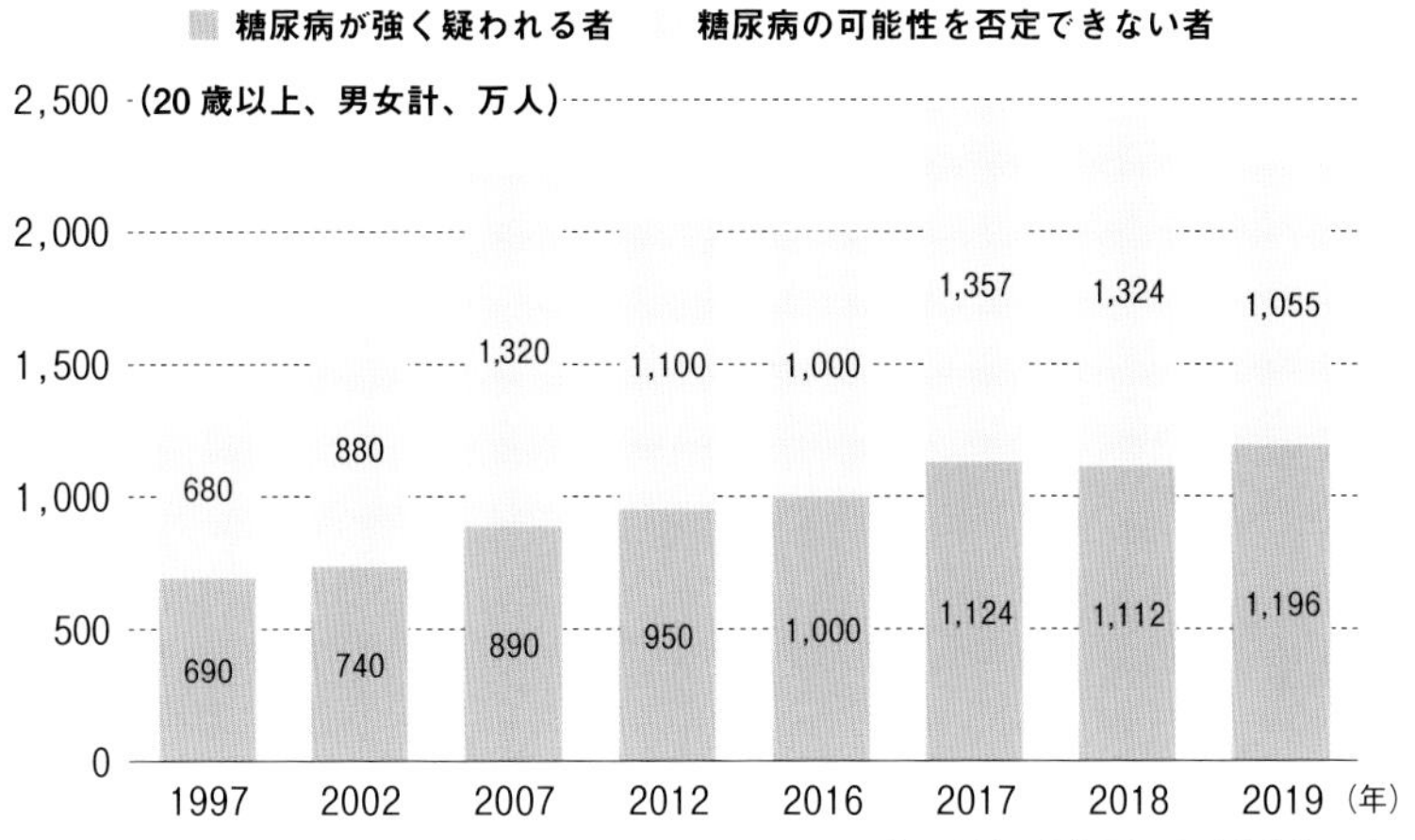

(国民健康・栄養調査／厚生労働省より)

が200mg／dℓ以上、ヘモグロビンA1cが6・5%以上、否定できない人は空腹時血糖値が110〜125mg／dℓ、食後血糖値が140〜199mg／dℓ、ヘモグロビンA1cが6・0%以上6・5%未満。血糖値が気になるあなたの数値は、このいずれかに該当しているのではないでしょうか。

ちなみに、ヘモグロビンA1cとは、血液中のブドウ糖がヘモグロビンと結合したものをヘモグロビン全体に対する百分率で示したもので、過去1〜2ヵ月の血糖値の状態を確認することができます。

日本人は太らなくても糖尿病になる。欧米人は太ってから糖尿病になる

ブドウ糖が細胞に取り込まれるときに、細胞側の扉をあけるカギのような役割をするのが、すい臓から分泌《ぶんぴつ》されるインスリンというホルモンです。健康な人であれば、インスリンがしっかり働いて、ブドウ糖は細胞に速やかに取り込まれます。しかし、インスリンがすぐに分泌されなかったり、量が足りなかったり、分泌してもうまく働かなかったりすると、血液中にブドウ糖が多く残るようになります。

インスリン分泌細胞が破壊され、数年のうちにインスリンを全く分泌できなくなるのが1型糖尿病。分泌量が足りなくなったり、きちんと働かなくなったりするのが2型糖尿病。日本人の場合、約95％が2型といわれています。この本の内容は2型に関するお話であり、糖尿病と記載があったら2型糖尿病のことだとお考えください。

2型糖尿病を発症している日本人の特徴は、欧米人と比べて太っていないことです。虎の門病院のデータによると、糖尿病を発症した人のＢＭＩ（体格指数＝体重kg÷身

日本人の糖尿病患者の半分は肥満ではない！

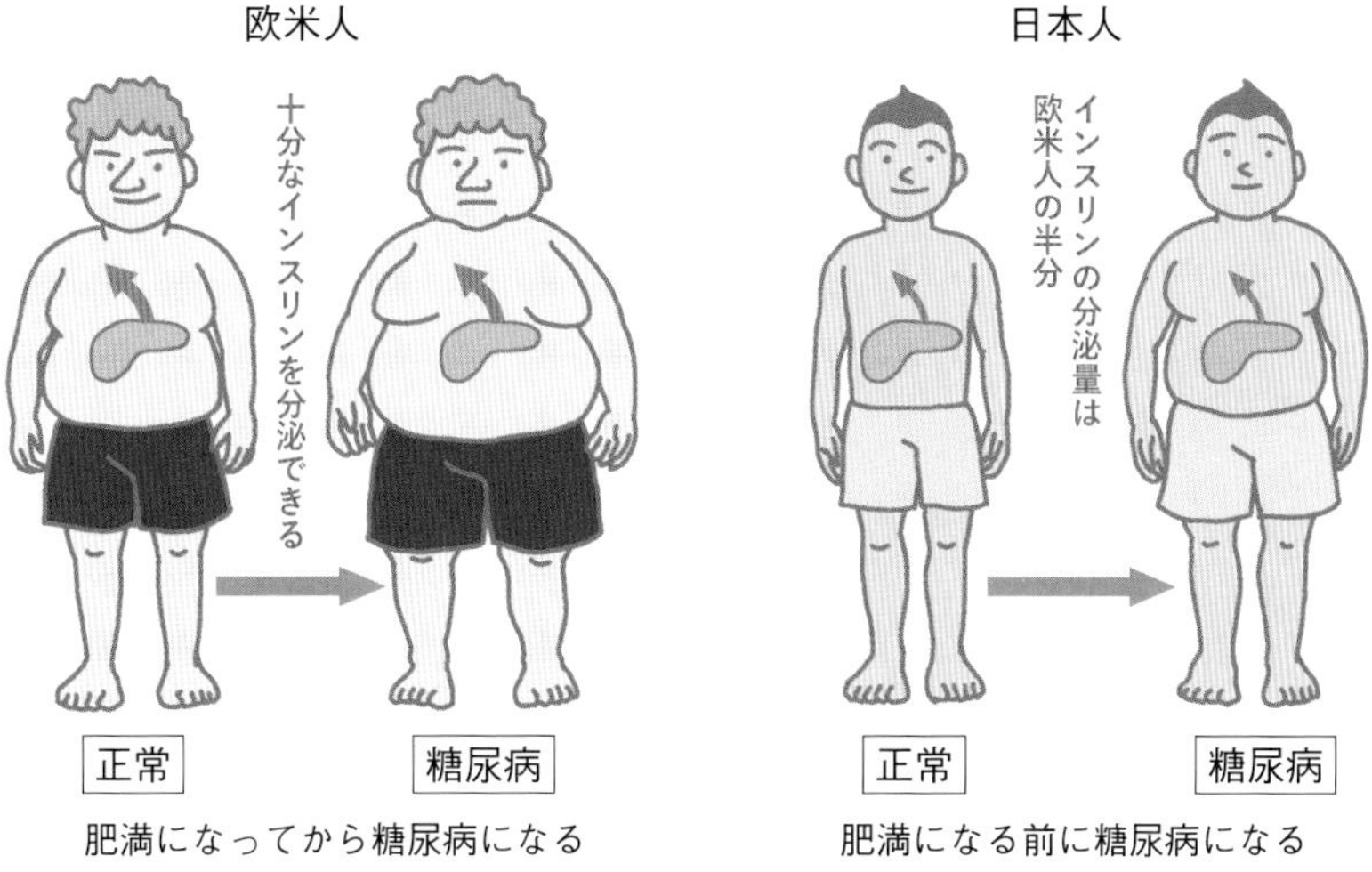
欧米人
十分なインスリンを分泌できる
正常
糖尿病
肥満になってから糖尿病になる
日本人
インスリンの分泌量は欧米人の半分
正常
糖尿病
肥満になる前に糖尿病になる

長m÷身長m）は、平均24・4。日本で肥満とされる25以上に届きません。[*1]つまり、太っていないのに糖尿病になるのが日本人ということになります。

この違いは、インスリンの分泌能力です。欧米人は糖質を大量に摂ってもインスリンが大量に分泌されるため、糖を脂肪細胞にどんどん取り込みます。結果、太ります。しかし日本人は、ある程度の糖質を摂ると、すぐにインスリンの分泌量が追いつかなくなって血液中に糖があふれて、太る前に高血糖になります。「自分は太っていないから大丈夫」は、日本人には当てはまらない言葉なのです。

本当に怖いのは食後高血糖。なんと成人の2人に1人で起きている

先ほど、「糖尿病が強く疑われる人」と「糖尿病の可能性を否定できない人」の判断基準に、空腹時血糖値、食後血糖値、ヘモグロビンA1cという3つの検査項目を紹介しましたが、一般的な健康診断で測るのは、空腹時血糖値とヘモグロビンA1cの2項目。場合によっては空腹時血糖値だけです。一方、食後血糖値を測ることはほぼありません。

しかし、本当に怖いのは、食後の高血糖なのです。というのは、血糖異常が健康診断の数値（空腹時血糖値）に現れる10年ほど前から、食後高血糖が生じるといわれているからです。しかも、後で申し上げるさまざまな問題がその段階から生じてくるのに、食後3時間も経過すると正常な血糖値に戻るため、高血糖が生じていることに気づく機会はほとんどありません。

食後高血糖は、成人の2人に1人で起きているといわれています。それは、中国人

での研究による血糖異常者の割合から類推したものです。[*2]

食後は血糖値が誰でも上がりますが、その数値が１４０㎎／dℓを超えると食後高血糖と診断されます。

問題なのは、血糖値が急激に上がる反動で、急激に下がることです。

この現象を、「血糖値スパイク」といいます。

血糖値スパイクが起きるのは、血糖値の急激な上昇に慌てたすい臓が、遅れて過剰にインスリンを分泌するからです。速度超過の自動車を止めるために急ブレーキを踏まざるをえない状況とご理解ください。スピードが出ないうちに速やかにブレーキを踏んでいればたいした衝撃はないのですが、スピードが出てからの急ブレーキはむち打ちになりかねません。これと同じような現象が血糖値スパイク。遅延した過剰なインスリンのせいでブドウ糖の細胞への取り込みが急激に加速すると、血糖値は一気に下がることになります。

急激に血糖値が下がることは、脳に危険信号として伝えられ、低血糖（脳細胞が働けなくなります）にならないよう、強い飢餓《きが》感として自覚されます。結果、エネルギーの過剰摂取と肥満を生むことになります。[*3]

血糖値は一気に上がると、一気に下がる

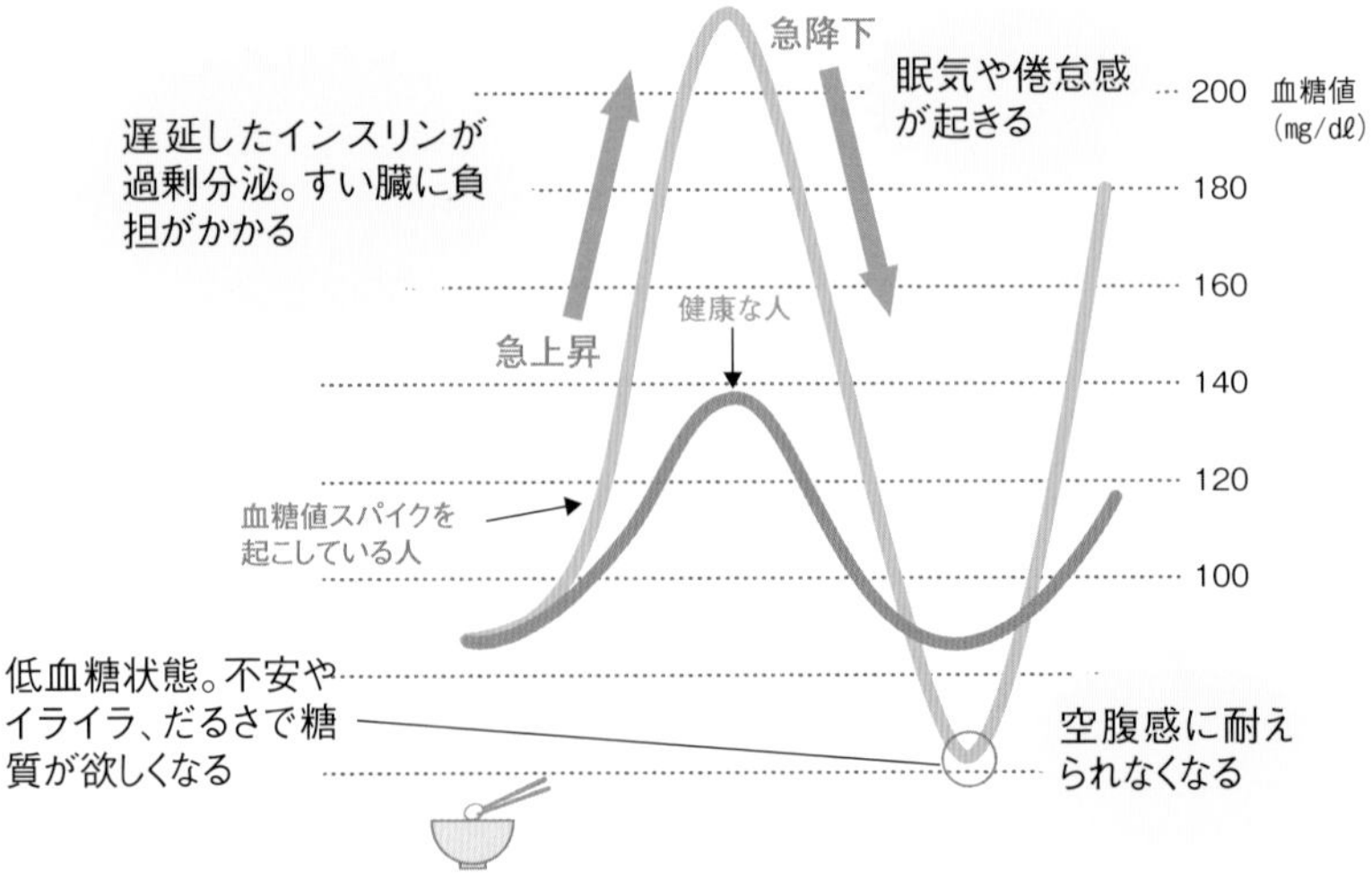
急降下
眠気や倦怠感が起きる
200 血糖値(mg/dℓ)
遅延したインスリンが過剰分泌。すい臓に負担がかかる
180
160
急上昇
健康な人
140
120
血糖値スパイクを起こしている人
100
低血糖状態。不安やイライラ、だるさで糖質が欲しくなる
空腹感に耐えられなくなる

また、血糖値の乱高下は、実は、それ自体が酸化ストレスを生み、血管に負担をかけ、毛細血管の障害や動脈硬化症につながるものと考えられています[4~6]。また、血糖値の上下動の大きさは認知機能の低下にかかわっていることが知られています[7]。

そして、食後高血糖の是正に必要な急峻なインスリン分泌は、日本人のすい臓がもともと苦手とするものですし、重い負担をかけると考えられています。このため、何度もくり返していると、インスリンの分泌がさらに悪くなり、やがて糖尿病につながると考えられるのです。

昼食後に眠気に襲われることが多い。それは血糖値スパイクのサイン

ロカボで１日の摂取目安１３０ｇの糖質を３回に分けるのは、血糖値スパイクをさけるためです。一度に多くの糖質を摂ると血糖値スパイクが起きることになります。

実は、私も、自らロカボを始める前は食後に血糖値が急上昇していました。驚くことに、糖質たっぷりの（でも、栄養バランスや30品目あることをうたって健康によさそうな雰囲気を醸し出している）駅弁を食べると２００㎎／dℓを超えていたのです。

それでも、健康診断では血糖値で引っかかったことはありませんでした。食後高血糖は、実際に計測しないとわからないのが困ったところなのです。

ただ、血糖値スパイクを起こしている人には、いくつかの特徴があります。わかりやすいのが昼食後。例えば、午後2時、3時になると眠くなる、体がだるくなる、おなかいっぱい食べたはずなのに空腹感に耐えられなくなる……。こうしたことが頻繁にある人は、血糖値スパイクを起こしている可能性が高いといえます。

食後にこんなことが体に起きていたら要注意！

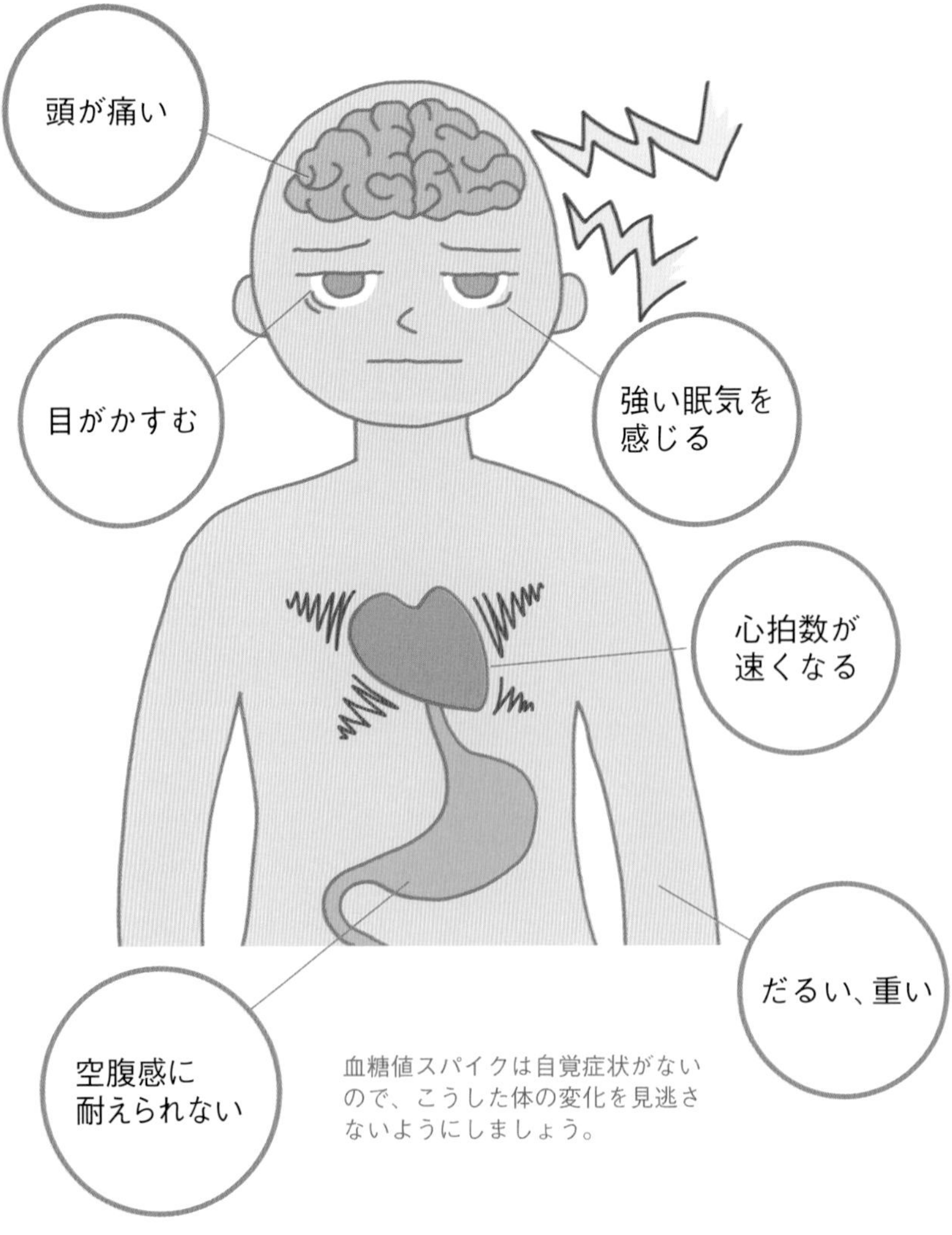

血糖値スパイクは自覚症状がないので、こうした体の変化を見逃さないようにしましょう。

気づきにくい血糖値スパイクは糖尿病発症の約10年前から始まっている

眠気や倦怠《けんたい》感、空腹感など血糖値スパイクが疑われる体の反応は、急激に上がった血糖値が急降下することで現れます。最も激しく現れるのは、反応性低血糖を起こしたときです。血糖値は高すぎるのもよくありませんが、低すぎるのもよくありません。**血糖値が70㎎／dℓ以下になると、手が震えたり、気持ち悪くなったり、心拍数が速くなったり、汗をかいたり、嫌な焦燥感《しょうそうかん》が出てきます。**これらの自覚症状は血糖値を上げるホルモンが分泌《ぶんぴつ》されたことによるものです。

しばらくすると、血糖値を上げるホルモンの作用が働いて血糖値は落ち着いてきますが、一部のホルモンは血圧を上げたり、心臓に負担をかけたりする作用があります。こうしたホルモンの過剰な分泌は死にすらつながると考えられているのです。[*8]

低血糖のときや血糖値が急激に低下しているときには、早めに糖質を口に入れて、低血糖を解除（予防）したほうが安全です。ただ、それ以前に、低血糖を起こしたく

血糖値異常が健康診断で見つかるのは、糖尿病発症直前

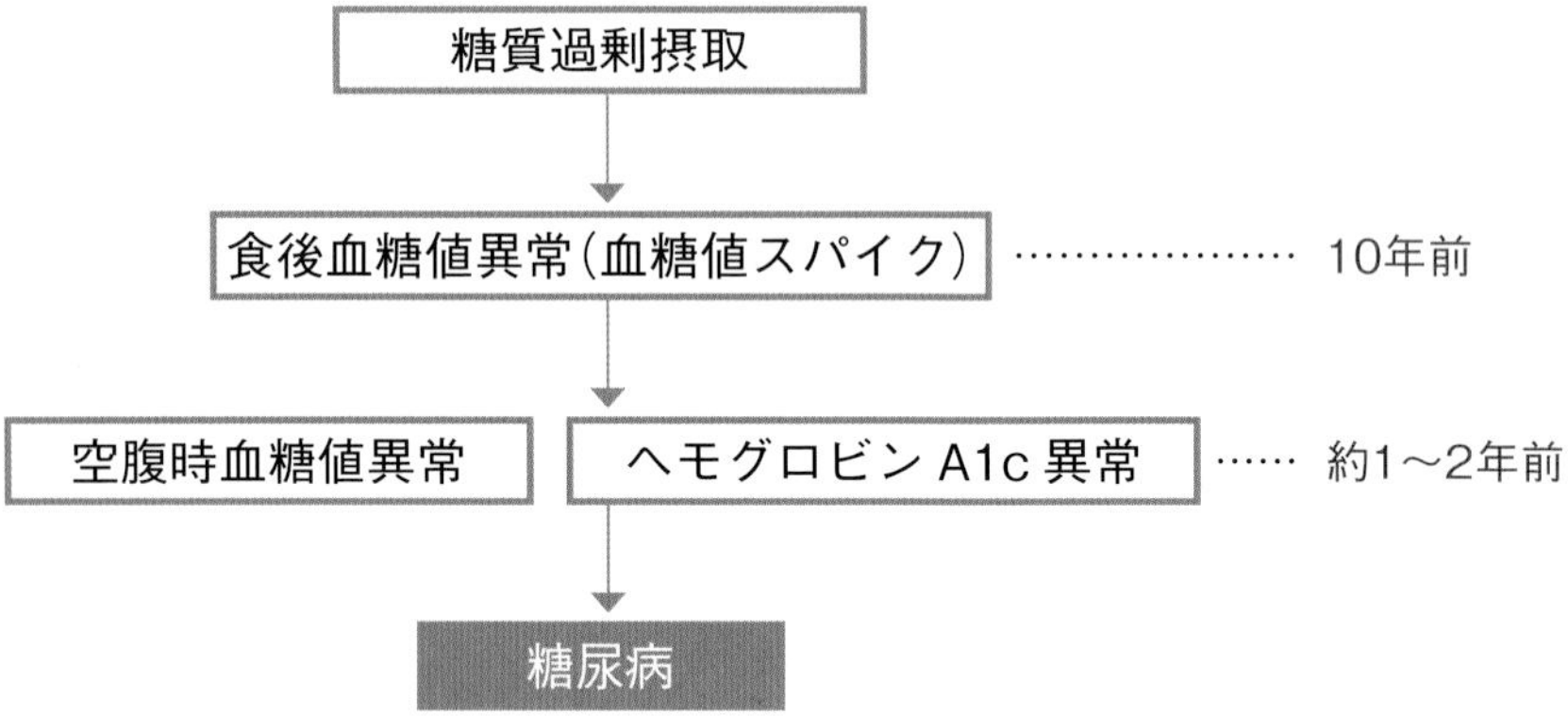

なければ、高血糖を起こさなければいいだけ。糖質を控えればいいのです。

ちなみに、**健診で測定する空腹時血糖値やヘモグロビンＡ１ｃが正常値の範囲を超えるようになるのは、糖尿病発症のだいたい１～２年前といわれています。**[*9]

それでは、食後高血糖は？というと、約10年前から始まっています。[*9]そして、糖尿病発症直前まで、気づかないままくり返すことになるのです。

日本では、２００８年から特定健診・特定保健指導が始まったことで糖尿病予備群は減少傾向にありますが、食後高血糖は、そこで発見される前からすでに始まっているのです。

気になる食後血糖値は、薬局・ドラッグストアでも測れる

食後の血糖値は、血糖測定器を購入すれば、自宅で計測することも可能です。

測定器本体は、高度管理医療機器販売資格を持っている薬局やドラッグストアなどで購入できます。インターネットで購入できることもあるようです。価格は8000～1万5000円程度のものが多いです。ISO（国際標準化機構）の基準が2013年に改訂されたことで製品精度が向上し、品質にはほとんど優劣はありません。

とはいえ1万円は高いという方もいると思います。その場合は、検体測定室のある薬局やドラッグストアで測定してもらうという方法もあります。1回約500円で測定できるので試してみてください。薬局・ドラッグストアによっては、血糖値以外にもヘモグロビンA1cを測定できる店舗もあります（※新型コロナの影響で測定サービスを休止している場合もあるので、事前に確認してください）。

自宅で測定するにしても、薬局・ドラッグストアで測定するにしても気をつけるのは、

測定器があれば自宅でも血糖値を測定できる

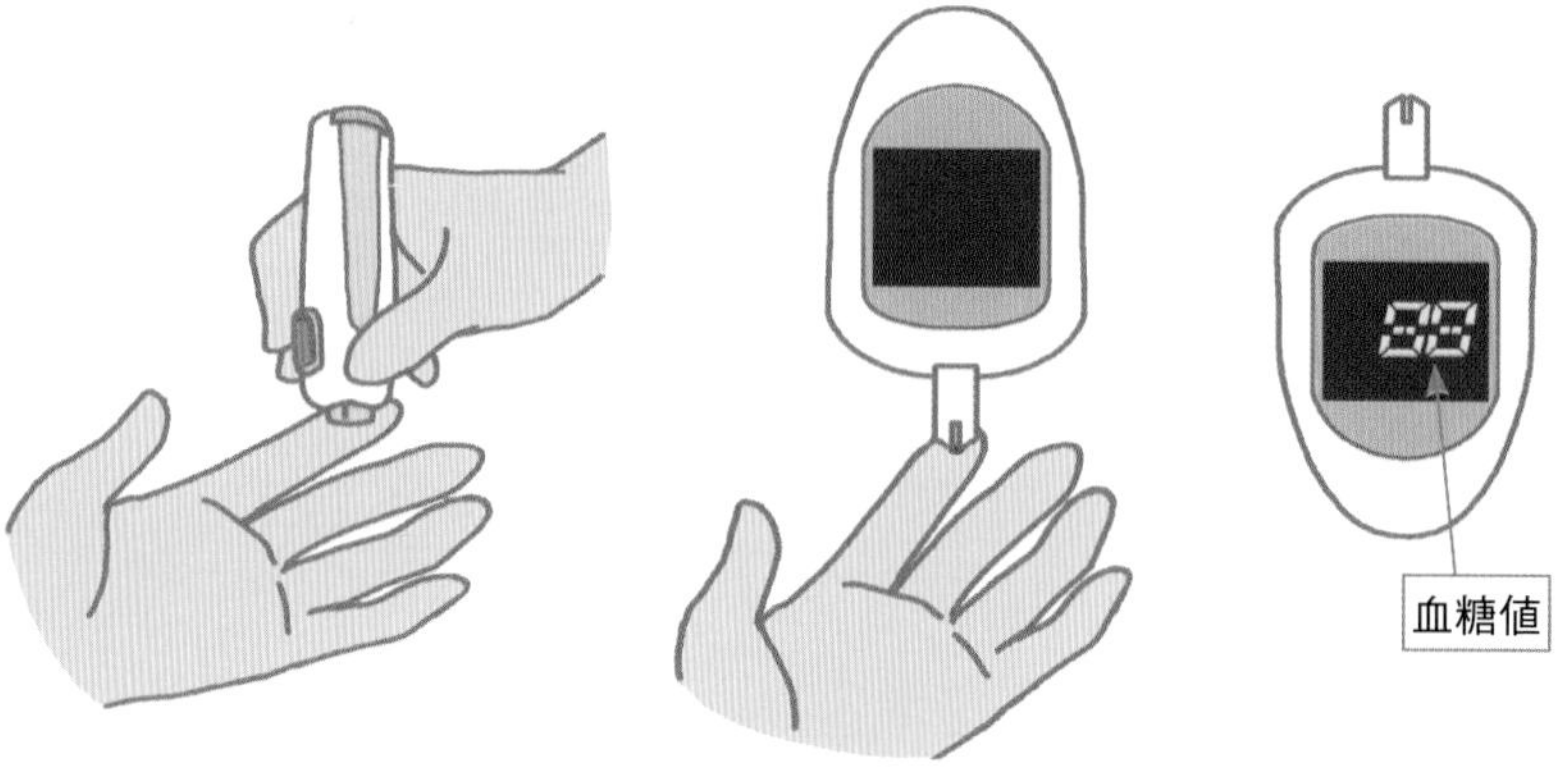

①指先に採血器具の針を刺して、微量の血液を出す

②測定器のセンサーに血液をしみ込ませる

③数秒後に血糖値が表示される

タイミングです。目安は、食べはじめから1時間から2時間後。食べ終わってからではなく、食べはじめからの時間で食後X時間の血糖値と表現します。

食べはじめから血糖上昇のピークに至る時間は、糖質量が多いほど早く（食後45分くらいのこともあります）、脂質やたんぱく質量が多いほど遅く（食後2時間程度のこともあります）なります。その意味で、食べはじめから1〜2時間の血糖値を調べればよいでしょう。ふだんどおりの食事をして、食後の血糖値が140㎎／dℓを超えていたら、ふだんから140㎎／dℓを超えていると思ってください。

糖尿病には、いまだ根治療法はない。血糖値をコントロールするのが最善策

糖尿病が恐れられるのは、高血糖状態が何年も続くことで全身にダメージが生じ、命にかかわる大きな疾患《しっかん》（脳卒中や心臓病や失明につながる目の病気など）につながるからです。このような糖尿病によって後から生じてくるさまざまな疾患を糖尿病の合併症と呼びます。そして、問題なのは、いまだ糖尿病や糖尿病の合併症を根治する治療法が見つかっていないことです。

糖尿病（２型糖尿病）に対する治療法は、現在大きく分けて３つです。

最初に行われる治療の多くは、「食事療法」と「運動療法」です。これまでのところ、我が国の食事療法で推奨されているのはカロリー制限（私はもう推奨・指導していませんが）、運動療法は有酸素運動です。運動については、最近、軽い筋トレもすすめられていますし、ご高齢の方にはヨガや太極拳をおすすめすることもあります。

この２つの治療法でも改善しないときは、次に「薬物療法」になります。薬物療法

「食事」「運動」「薬物」。糖尿病治療は３つ

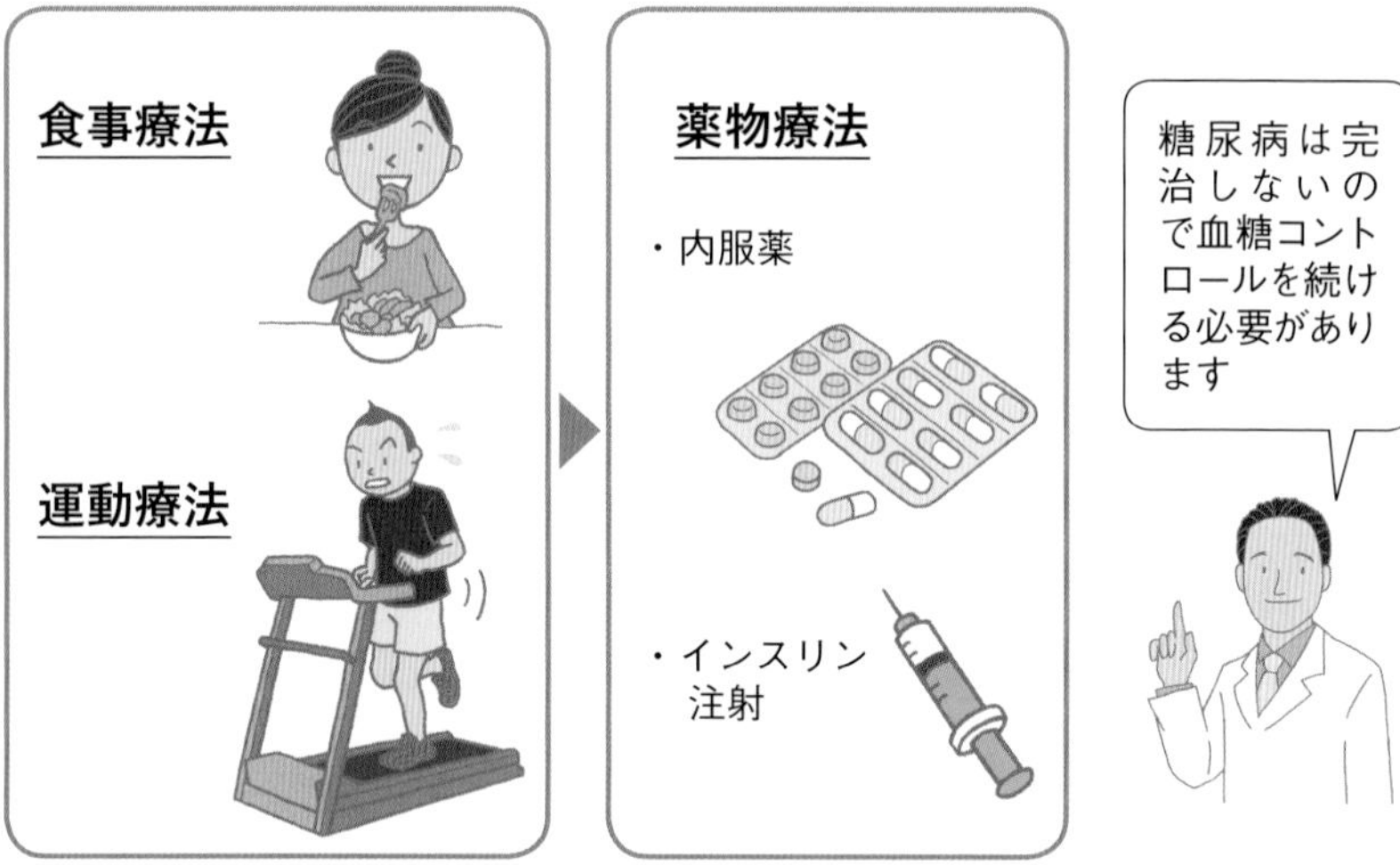

には口から薬を飲む（内服薬）パターンと、インスリンやインクレチンというホルモンを体の外から補充する（注射薬）パターンがあります。

いずれの治療も現段階では完治させるのが難しく、治療を続けながら血糖値をコントロールすることになります。しかも、その間の**治療費は、糖尿病患者一人当たり（自己負担額／3割）で、年間約4～13万円**。それに、糖尿病のせいで生じた全身のダメージ（合併症）の治療費が加わるともっと高額になります。だからこそロカボなのです。糖質を控えておなかいっぱい食べているだけで、将来の医療費もかからなくなります。

糖尿病の食事療法の世界標準はカロリー制限から糖質制限へ

日本の糖尿病の食事療法は、カロリー制限が推奨されています。

それでは世界はどうなのでしょうか？

例えばヨーロッパのガイドライン[*10]では、糖尿病以前に「過体重や肥満でない人にはカロリー制限は不要である」、アメリカのガイドラインでは「血糖管理には、糖質制限が最も有効である」とされています。[*11]

アメリカでは、糖尿病学会が２００８年に食事療法に糖質制限を採用してから、新規の糖尿病発症者数は徐々に低下しています。[*12]太ってから糖尿病になる欧米がカロリー制限よりも糖質制限を推奨しているのに、太っていないのに糖尿病になる日本人にカロリー制限が適しているとはとてもいえません。

そもそも、肥満対策としても、カロリー制限がベストでないこともわかってきました。イスラエルのシャイ先生のグループが行った実験（DIRECT／ダイレクト試験）では、カロリー制限より糖質制限のほうが、減量効果がありました。[*13]

さらにいうと、**日本のガイドラインによる糖尿病治療のためのカロリー設定値は、全く根拠がありません。**

日本人の糖尿病患者を対象にした食事療法の良質な研究を網羅的に集めて検討したところ、カロリー制限食と別の食事法とを比較した研究（相手はすべての研究で糖質制限食でした）では、いずれも**カロリー制限食は糖質制限食よりも統計学的に有意に血糖の改善効果で劣っていた**のです。[*14]

一方、すべての研究において糖質制限食は有効性（優越性）を示していました。

科学的根拠に基づく医療を志す医療従事者であれば、もはや当然のこととしてカロリー制限食の指導をやめ、糖質制限食指導をしなくてはならないという状況になっているのです。

結論として、カロリー制限食は、継続するのはとても難しく、実現したら血糖値改善ではなく、寝たきりにつながるといってもよいのではないでしょうか。

カロリー制限では血糖値は下がらない。しかし、ロカボなら下げられる

アメリカで健常者を対象にしたカロリー制限の実験（CALERIE試験）で、面白い結果があります。それは、カロリー制限をしていたグループの脱落者が多かったことです。「カロリー制限の寿命延長効果を証明する研究に協力したい」という強い意志のもとに集まった人たちでしたが、143名中28名が脱落。また、グループ全体での平均のカロリー摂取は元来のエネルギー摂取の88％でした。本当は元来のエネルギー摂取の75％に制限するように指導されていたのにもかかわらずです。[15]

カロリー制限は、どれほど意志が強くても、なかなか続かないものなのです。それなら、おなかいっぱい食べられるロカボを実践するほうが、長く続けられるはずです。

もちろん、らくであっても効果がないと意味はありません。200人の被験者を対象に、ロカボを実践してもらい、体重と血糖値の改善度合いを見てみることにしたのが、次ページの実験です。継続6ヵ月めが青色、12ヵ月めが薄青色の数値です。[16]

ロカボを半年続けると血糖値は改善する！

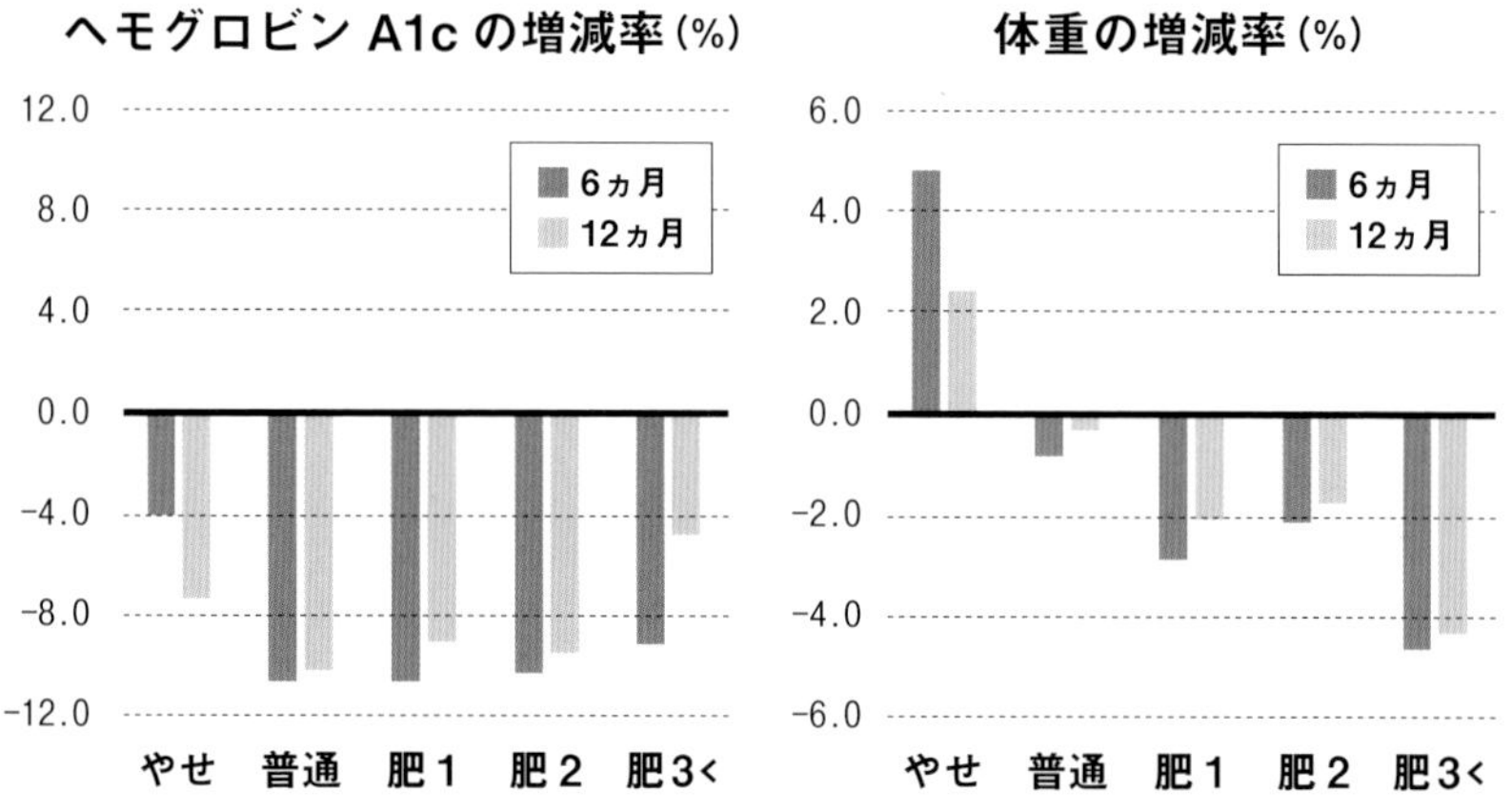

(keio J Med 2017;66(3):33-43)

ロカボを実践すると、やせている人でも、ふつうの体型の人でも、太っている人でも血糖値が改善することがわかりました。BMI35以上の非常に太っている人は、減量にも大きな効果がありました。また、やせている人は体重が増え、ふつうの人は体重がほとんど変わらなかったところは、ロカボならではの結果だと思います。

おなかいっぱい食べても太らないのがロカボ。だから、安心して始めることができる食事法でもあるのです。そして、筋肉が落ちてきたご高齢の方の糖尿病を改善し、筋肉をつけて体重を増やすのにも、ロカボが適しているといえるでしょう。

たんぱく質・脂質・食物繊維は血糖上昇にブレーキをかける

ロカボで血糖値が下がるのは、一般的な糖質制限（糖質を控える）と同じ理屈です。ロカボが異なるのは、糖質は控えますが、食生活を楽しんでください、というところです。**糖質を控える代わりに、脂質やたんぱく質、食物繊維をたくさん摂ることによって、さらに血糖値の上昇にブレーキをかける**ことができます。

食事法を4パターンに分類して食後の血糖値を測定したデータがあります。[*17]①白米のみ、②白米＋豆腐＋ゆで卵、③白米＋豆腐＋ゆで卵＋マヨネーズ、④白米＋豆腐＋ゆで卵＋マヨネーズ＋ほうれん草とブロッコリー。

食後の血糖値が高かった順に並べると、①→②→③→④。カロリーが高くなるほど、血糖値の上昇を防ぐことになります。わかりやすくいい換えれば、**白いご飯を食べるより、脂質にまとわれ、たんぱく質（卵やハム）の入ったチャーハンのほうが血糖値を抑制できる**ということです。

たんぱく質、脂質、食物繊維を先に食べると血糖値が上がらない！

食物繊維には糖質の吸収を遅らせて血糖値の上昇を抑える効果がある。

たんぱく質と脂質にはインスリンの分泌を促す効果がある。準備を整えてから糖質を摂ることで血糖値の上昇を抑えることができる。

満腹のメカニズムで話したように、たんぱく質や脂質を摂ると、消化管からホルモンが分泌《ぶんぴつ》されます。これがインクレチンです。このインクレチンにはインスリンの分泌を早める働きがあるため、ブドウ糖を取り込む準備を事前に整えられます。また、食物繊維は人の消化酵素では消化されにくい成分で、腸内細菌の作用で短鎖脂肪酸と呼ばれる物質に発酵し、この短鎖脂肪酸の作用で血糖値の上昇を抑えることができます。

つまり、体内に糖質が入ってきてから慌てて準備するか、事前に準備しておくか。その違いが食後の高血糖の是正、さらには糖尿病対策になるのです。

ロカボの効果は1食めから。継続すると血糖値が安定してくる

先ほど紹介したロカボ効果は６ヵ月の数値でしたが、実は、ロカボを実践すると１食めから効果があります。

その食事の食後高血糖を是正するからです。そして、継続することで疲弊していたすい臓などが元気を取り戻し、食事をする前から高かった空腹時血糖値も下がり、１日を通じて正常値で安定するように近づけます。改善率は約80％。ロカボをしっかり実践し持続できると、さらなる効果も期待できます。

ただし、病院で受ける糖尿病についての精密検査・ブドウ糖負荷試験のときには注意が必要です。場合によっては悪い結果が出る可能性があります。

というのは、インスリンを分泌《ぶんぴつ》するすい臓が、ロカボの食生活によって安静状態で休んでいると、急なブドウ糖負荷（75ｇのブドウ糖ドリンクを一気飲みします）に反

応しづらくなっていることがあるからです。

ブドウ糖負荷試験を受ける折には、その3日前から1日150g以上の糖質摂取にしておくようにしましょう。

ぐっすり寝ているときに急に起こされて算数の計算テストをやらされたら、間違いが多くなりますよね。算数のテストを受けるなら、テストの数時間前から起きておくべきです。それが、1日150g以上の糖質を3日間摂取する意味です。すい臓を目覚めさせるのです。

でも、考えてみてください。

逆に24時間、365日起きっぱなしでいたら、やっぱり算数のテストで間違いが多くなりますよね。毎日毎日150g以上の糖質を摂取していたら、やがてすい臓が疲れてインスリンの働きがおかしくなる、分泌が足りなくなるというのは、当然のことでしょう。

普段はロカボで、すい臓に労働と休憩の両方を与えておくべきなのです。


食後高血糖がやがて糖尿病につながるのは、高血糖状態がすい臓のインスリン分泌

血糖値も体重も、ロカボでみるみる下がった！

	空腹時血糖値（mg/dl）	ヘモグロビンA1c（%）	体重（kg）
48歳女性（2021年3月～8月）	278 → 139	9.3 → 6.4	62.4 → 58.2
72歳女性（2021年3月～8月）	156 → 111	8.5 → 6.2	67.6 → 61.2
71歳女性（2021年2月～8月）	161 → 133	8.1 → 6.5	63.0 → 57.3
47歳男性（2020年10月～翌年9月）	147 → 111	7.1 → 5.7	77.4 → 70.1

能力やインスリンの働きそのものを低下させるからでもあります。

これを「糖毒性」といいます。

この「糖毒性」という作用は、短時間であれば可逆的（もとに戻すことができる）ですが、長期間（年単位）になると不可逆的（もとに戻すことができない）になると考えられています。

まさに糖尿病、そして糖尿病合併症へ一直線。

そこから早く抜け出す、せめて進まないようにするためにも、ロカボを始めることが肝心なのです。

糖尿病と診断された方も血糖値が改善!
がまんしないから続けられる「ロカボ」体験者の声

恩田隆晴さん(43歳)

空腹時血糖値
278mg/dℓ → 157mg/dℓ

ヘモグロビンA1c
9.3% → 6.0%

3ヵ月で

ヘモグロビンA1cが3ヵ月でマイナス3%!

糖尿病と診断されてから食事療法と通院を続けていたのですが、食事がつらくて続かず……。そこで始めたのがロカボです。朝は家族と同じもので主食抜き。昼と夜は仕事的に外食が多くなるのですが、ハンバーグやグリルチキンなどたんぱく質が摂れそうなものを多めにし、量を食べたいときは低糖質ラーメンなどを食べるようにしていました。すると3ヵ月後には、なんとヘモグロビンA1cの値が3%以上も下がったのです。おかげでインスリン注射の回数を減らすことができました。今の目標は注射なしの生活です。

真鍋洋さん（67歳）

5ヵ月で

空腹時血糖値
249mg/dℓ → 117mg/dℓ

ヘモグロビンA1c
6.9% → 5.5%

お酒が飲めるといわれて安心して始めた

「このままなら長い闘病生活の覚悟を」。これは、山田先生に会う前に主治医にいわれたことです。山田先生からも「このままでは10年後に視力が失われ、インスリンを打ちつづけなければなりませんよ」。そのとき、私が思ったのは、もう好きなお酒も、おいしいものも食べられなくなるのか、ということでした。ところが、ロカボなら、蒸留酒やワインなどのお酒が飲めるといいます。それならできるかもしれない。

さっそく取り組んでみると、５ヵ月後には、空腹時血糖値もヘモグロビンＡ１ｃも正常値に戻り、中性脂肪値は３１８から73へ激減、毎日お酒を飲んでいるのにγ《ガンマ》－ＧＴＰも正常値に。さらに人間ドックでは、脂肪肝といわれていた肝臓の画像の色がずいぶんよくなったとほめられました。

渡部健さん（51歳）

3カ月で

空腹時血糖値
163mg/dℓ → 128mg/dℓ

ヘモグロビンA1c
8.7% → 7.8%

ビッグサイズの洋服がふつうサイズに

糖尿病と診断されてからは、血糖値を下げる薬を飲み、カロリー制限の食事をして頑張って血糖値をある程度までは下げたのですが、そこから続かない。挫折《ざせつ》しかけていたところで教えてもらったのがロカボでした。

みなさん驚かれるのですが、僕は、毎日おなかいっぱい食べて、好きなものも食べています。これはダメ、あれはダメといわれないのでストレスなく続けられています。

僕にとってうれしかったのは血糖値が改善したことに加えて、サイズダウンに成功したことです。これまではビッグサイズの専門店でしか買えなかった洋服をふつうのお店でも買えるようになったのです。もう昔の体型には戻りたくないですね。

第3章

「ロカボ」実践編
血糖値を下げる
食べ方のヒント

いつもの食事をひと工夫。「がまんしない」「楽しむ」が成功のポイント

ロカボなら血糖値が下がる。しかも、糖質以外なら、肉も魚も卵も、野菜もおなかいっぱい食べていい。それでは、具体的にはどんな食事になるの？　この章では、あなたがロカボを実践して、血糖値を下げていくためのヒントをまとめて紹介することにしましょう。読み進めると、「**あれも食べられる**」「**これも食べられる**」「**なんだ！　ロカボって簡単じゃないか‼**」と思っていただけるはずです。カロリー制限に挫折《ざせつ》した私が、もう12年も続けられているのですから、あなたもきっと大丈夫です。

ロカボ成功のポイントは、一つは、**今までの食事を大きく変えようと思わないこと**です。今夜のおかずがから揚げだとしたら、ご飯の量を減らして、から揚げを増やす、もしくは小鉢を一品追加する。これでＯＫです。もう一つは、**がまんしないこと**です。どんな食事法でも、がまんは長続きしません。「糖質以外なら」という条件はつきますが、食べたいものをふんだんに食べてください。

糖質を減らす代わりに、たんぱく質、脂質、食物繊維を増やせばロカボ

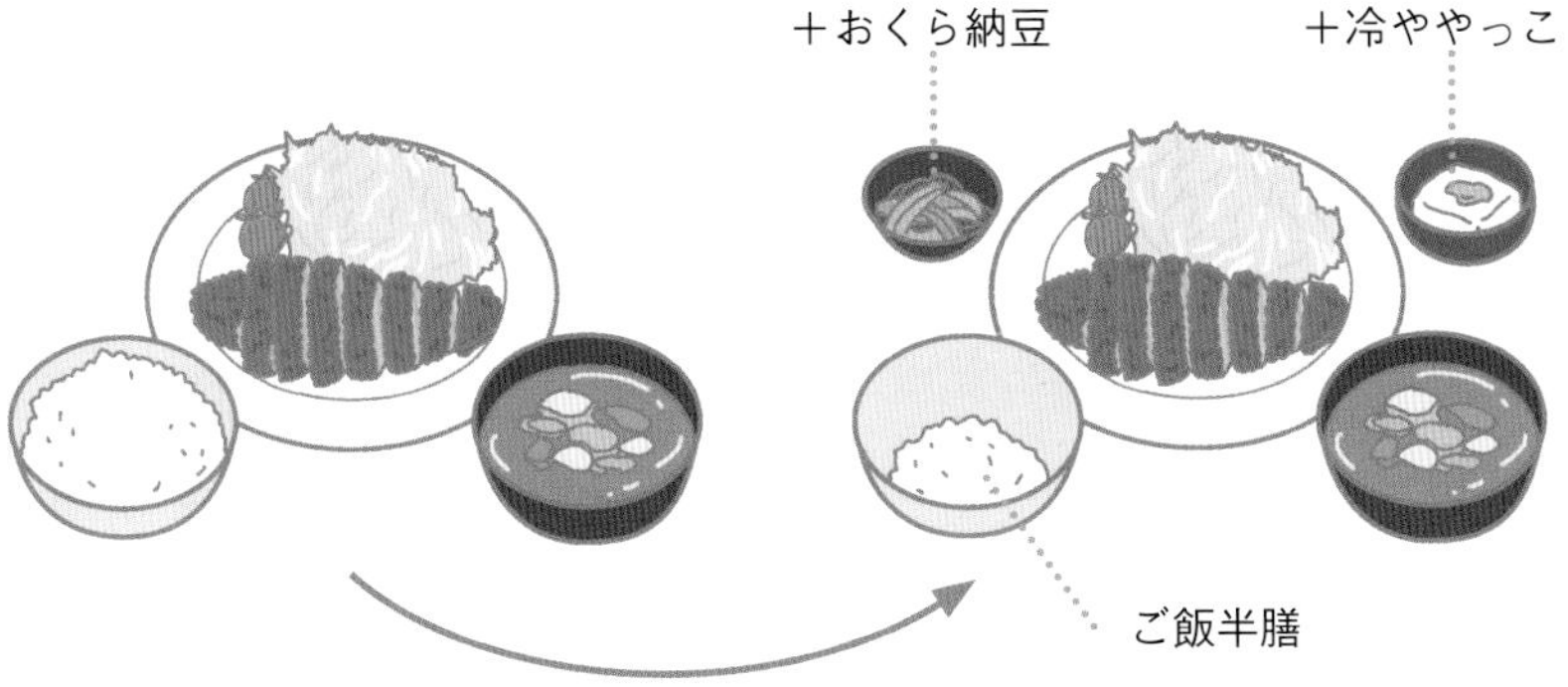

例えば、白米ご飯を半分に減らして小鉢を２品追加する

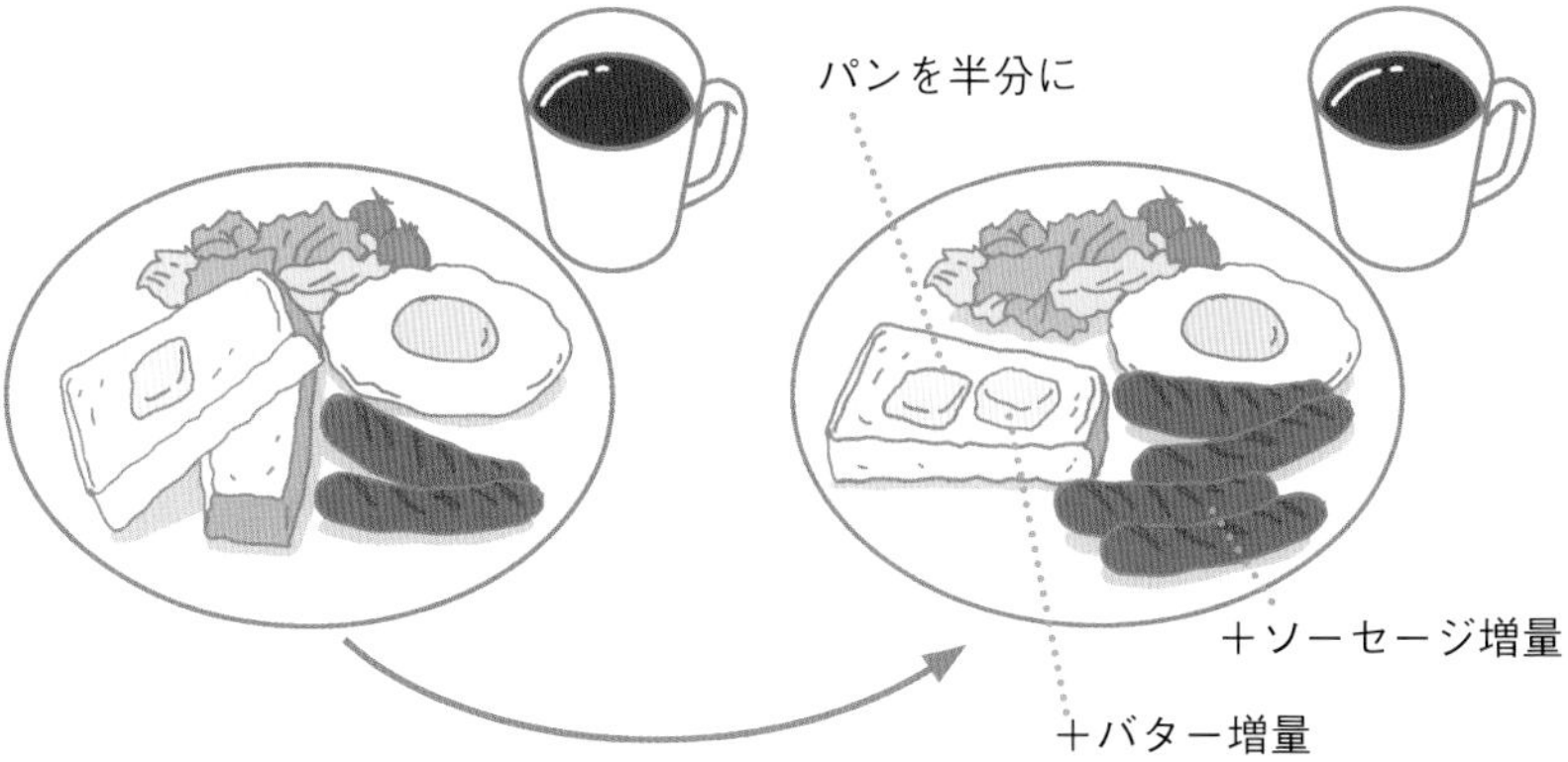

例えば、パンを半分に減らしてバターをたっぷりのせる

食べることを楽しむから続けられる。山田家のロカボメニュー公開

血糖値を下げる食べ方は、今までの食事を少し変えるだけです。

といっても、どんな食事になるのか想像がつかない方もいるかもしれません。

そこで、まず山田家のメニューをいくつか紹介しましょう。難しいことなんてありません。糖質を控えて、おなかいっぱいになるだけ。

ある日の夕食1

menu

- 豚バラ（しいたけ、ネギ、カイワレ）しゃぶしゃぶ
- ポン酢
- 日本酒

主食がない日は、糖質多めの日本酒も3合までなら楽しめる

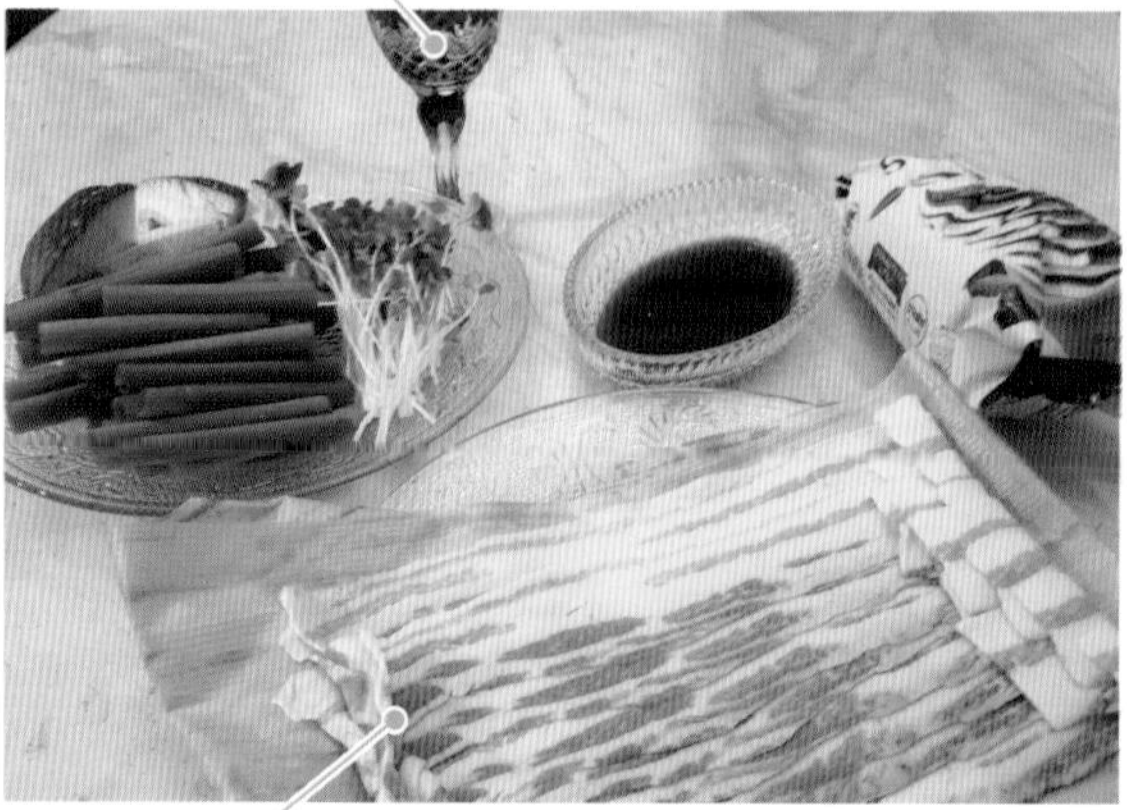

お肉の脂は積極的に摂るべき。脂を控える必要なし

糖質多めの紹興酒も、食事全体の糖質量をコントロールすると楽しめる

サイドメニューでもたっぷりたんぱく質

たっぷり具材で少量のご飯でもボリューム満点

ブロックで煮込み、野菜たっぷりのだしと仕上げのゴマ油で、塩分少なくてもしっかりうまみ

ある日の夕食2

menu

- ピータン豆腐
- 鶏レバーの老酒漬け
- 豚バラと白菜、きのこの中華スープ
- カニ・レタス・卵チャーハン
- 紹興酒

糖質が多いビールは主食として摂り、糖質オフビールは気にせず楽しむ

主食を控えるとフルーツも楽しめる

コチュジャンは糖質多めの調味料ですが、煮込んでしっかりだしをとれば、調味料は少しでも味しっかり

手羽から出るコラーゲンが煮こごりになるので片栗粉いらず

サイドメニューでもたっぷりたんぱく質

ある日の夕食3

menu

- 牛すじと野菜の韓国風スープ（コチュジャン）
- 鶏手羽の煮こごり煮
- カツオのユッケ風
- キュウリとネギのサラダ
- 生ゆば
- ブドウ
- ビール

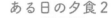

辛口なら白ワインでもほとんど糖質なし

サラダのドレッシングは、ポン酢とゴマ油で脂質しっかり＋減塩

ある日の夕食4

menu

- しめさば
- 枝豆
- しらす・トマト・アボカドのサラダ
- 鶏すき丼（卵添え）
- ナッツ
- 白ワイン

・鶏はもちろん皮つき
・ご飯が少量なので味は薄めに
・丼つゆのみりん、砂糖は人工甘味料に切り替え

サイドメニューでもたっぷりたんぱく質と良油脂

糖質が少ないスパークリングワイン

市販のピクルスは砂糖を使っているものが多いので自家製

ナンは糖質が多いので、代わりに低糖質パン

ある日の夕食5

menu

- タンドリーチキン
- ラムのスライス焼き
- ほうれん草とチーズのカレー
- キュウリのピクルスサラダ
- 低糖質のパン
- スパークリングワイン

インドカレーはとろみの小麦粉が使われてないので糖質が少ない

コーヒーに生クリームの日もあれば牛乳の日も

シュークリームは低糖質商品を

ヨーグルトは無糖・高脂肪タイプ

オムレツはチーズはもちろん、バターもたっぷり

オリーブ油をたっぷりかけただけ。ツナ缶に塩味がついてるので十分

ある休日の朝食

menu

- チーズたっぷりオムレツ
- ツナサラダ
- ヨーグルト
- シュークリーム
- カフェオレ

ヨーグルトは無糖・高脂肪タイプ。甘味が欲しければしっかりと人工甘味料をかけるべし

塊の豚肉でたんぱく質、キャベツときのこで食物繊維、さらにオリーブ油で良質の油を

ある平日の朝食

menu

- 豚肉とキャベツときのこのポトフ
- 低糖質シュークリーム
- ヨーグルト
- カフェオレ

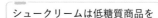

糖質がたっぷり含まれているのは、穀類。意外に含まれているのは、イモ類

それでは、注意が必要な糖質が多く含まれる食材を見ていくことにしましょう。

お米や、小麦粉を原料とするパン、うどん、パスタなどの穀類は、糖質がたっぷり含まれています。いわゆる主食です。関西圏では、小麦粉を使ったお好み焼きをおかずにご飯を食べる文化があるようですが、かなりの糖質を摂っているということです。ラーメンにライス、パスタにパンも同じです。

主食以外では、さつまいもやじゃがいもなどのイモ類、小豆やいんげん豆などの豆類に糖質がたくさん含まれています。ただし、**「畑の肉」ともいわれる大豆は、豆類の中で例外的に糖質が少ない食材。**ロカボでは積極的に摂りましょう。

野菜の中では、カボチャやトウモロコシなどは注意が必要。また、果物はアボカド、オリーブ、ココナッツ以外は少し控える必要があります。左の表に示した**「糖質が少ない食材」**は、**おなかいっぱい食べていい食材**になります。

糖質が多い食品、少ない食品

	糖質が多く、使用に注意を要する食品	糖質が少ない食品
穀類	米（ご飯、粥、もち）、小麦（パン類、麺類、小麦粉、餃子の皮、ピザ生地等）	－
芋類	さつまいも、じゃがいも、やまいも、くず、春雨	こんにゃく
豆類	小豆、いんげん豆、えんどう豆、そら豆、ひよこ豆、レンズ豆	大豆、大豆製品（豆腐、湯葉など）、枝豆
種実類	銀杏、栗	アーモンド、杏仁、カシューナッツ、くるみ、けし、ごま、ピスタチオ、ピーナッツ、マカダミアナッツ
野菜類	くわい、カボチャ、トウモロコシ、れんこん、ゆりね	アーティチョーク、あさつき、オクラ、かぶ、カリフラワー、キャベツ、きゅうり、ごぼう、小松菜、しそ、ずいき、ぜんまい、大根、たけのこ、玉ねぎ、チコリ、チンゲン菜、つくし、とうがらし、トマト、なす、にがうり、ニラ、にんじん、ねぎ、白菜、バジル、パプリカ、ビーツ、ピーマン、ふき、ブロッコリー、ほうれん草、もやし、レタス、わけぎ
果実類	右以外（イチゴ、みかん、りんごなど）、ドライフルーツ	アボカド、オリーブ、ココナッツ
きのこ類	－	すべてOK
藻類	－	すべてOK
魚介類	－	すべてOK
肉類	－	すべてOK
卵類	－	すべてOK
乳類	コンデンスミルク	左以外はOK
油脂類	－	すべてOK

ちゃんと主食も食べられます！ご飯なら半膳、食パンなら8枚切り1枚

少し控える食材、おなかいっぱい食べてもいい食材をわかっていただけましたでしょうか？　ロカボは、いつもの食事の主食を減らして、おかずを増やすだけでいいのです。おかずをどう増やすかはあなたしだい。**肉をたくさん食べてもいいし、油を使った料理にしてもいいし、卵料理でも、豆腐料理でも、ボウルいっぱいの野菜サラダを食べてもかまいません。**

気になるのは、主食をどれくらい食べるといいのか。ロカボのルールは1食40ｇ以下ですが、おかずや調味料に含まれる糖質を考えると、主食の糖質量は20～30ｇが目安。例えば、**白米ご飯なら茶碗半膳、食パンなら8枚切り1枚、パスタやうどんなら1人前の半分くらい**なら、おかずや調味料のことを気にせずに食べることができると思います。パスタなら具材をいつもより多めにする、うどんならトッピングあるいは小鉢を増やすなど工夫すると、おなかいっぱいの食事になります。

まずは主食を半分に減らしてみましょう！

ご飯

茶碗1杯（約150g）
糖質約55.2g
▶ 半膳に
糖質約28g

パン

6枚切り1枚
糖質約26.6g
▶ 8枚切りに
糖質約20g

パスタ

1人前（250g）
糖質約67.3g
（ソース・具材含まず）
▶ パスタ半分に
糖質約34g

ラーメン

1人前（200g）
糖質約55.8g
（つゆ・具材含まず）
▶ 麺半分に
糖質約28g

そば

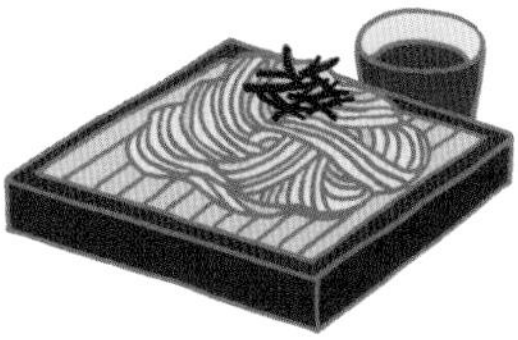

1人前（170g）
糖質約40.8g
（つゆ・具材含まず）
▶ そば半分に
糖質約20g

パッケージについている栄養成分表示は、まず炭水化物（糖質）をチェックする

食品に含まれる糖質の量は、栄養成分表示を見ると、どれくらいの糖質が含まれているか確認することができます。2020年4月から新たな食品表示制度が完全施行となって栄養成分表示が義務化されたため、包装されている食品には栄養成分が必ず明記されています。**必ず表記しなければならないのは、熱量（エネルギー）、たんぱく質、脂質、炭水化物、ナトリウム（食塩相当量）**。熱量は、カロリーが表示されていいます、といったほうがわかりやすいかもしれません。

ロカボを実践するときに注目するのは、炭水化物。ここまで何度も話してきたようにカロリーは気にしないでください。炭水化物は、糖質と食物繊維の量を分けて表示してくれている場合があります。糖質まで表記している場合は、「糖質が少ない」か、「食物繊維が多い」か、どちらかを伝えたいため。糖質表示がない場合は、炭水化物の量がそのまま糖質の量だと思ってよいでしょう。

栄養成分表示の見方

栄養成分表示	100g あたり
エネルギー	245kcal
たんぱく質	15.3g
脂質	10g
炭水化物	23.5g
糖質	20g
食物繊維	3.5g
食塩相当量	2.2g

原材料名　鶏肉、食塩、砂糖、衣（米粉、小麦粉、でん粉、香辛料）／トレハロース、調味料（アミノ酸）、リン酸塩（Na）、ソルビトール（一部に鶏肉・小麦・大豆含む）

※糖質量はここをチェック。「糖質」が表記されているときは糖質量を、「炭水化物」しか表記されていない場合は炭水化物量を目安にしてください。

※血糖値には関係ありませんが、塩分は高血圧と関連しているので、摂りすぎは注意しましょう。

※栄養成分表示の基準量。1個、1包装、100g、100ccなど内容量と異なる場合があります。糖質量を判断するときは注意してください。

※原材料は、含まれている量が多い順番に表記されています。砂糖やブドウ糖、小麦粉などが最初のほうにあったら注意しましょう。

栄養成分表示を見ると、チョコレート、アイスクリーム、シュークリームなど、食品によっては意外に低いものがあります。逆に、驚くほど糖質が入っている食品もあります。

ロカボを楽しむためにも、栄養成分表示をチェックするのを習慣にしましょう。1点注意するのは、成分表示の基準量です。1袋なのか、1個なのか、100gなのか。これを間違えると、少ないと勘違いして大量に糖質を摂ってしまったり、多いと勘違いして本来食べられる糖質量なのに食べられないとあきらめてしまうといったことにつながるので注意しましょう。

GI値の低い食品も糖質量は同じ。黒い食べ物を過信しないこと

健康によいといわれる食品でも、ロカボのルールから判断すると注意しなければいけないものもあります。

例えば、玄米やライ麦パンなどです。

体によいイメージがある「黒い食べ物」は、精製された白米や白いパンに比べると食物繊維が多く含まれているため、糖質の吸収はゆるやかになります。たしかに、「白い食べ物」より食後の血糖値の上昇を抑えることができます。

そこに注目した食事法が低GI食です。**GIとは、グライセミック・インデックスの略で、食品に含まれている炭水化物がどれだけ血糖値を上げるかを、ブドウ糖を100として相対的に表現した数値です。**数値が低いほど、食後の血糖値はゆるやかに上昇します。

しかし、低糖質であれば高GIであっても高糖質低GIよりも食後血糖値をあげに

くかったというデータがあります*1。確かに高糖質の時には低ＧＩは食後血糖の上昇を抑制しますが、低糖質の時には低ＧＩは（すでに低糖質で食後高血糖が抑制されているので）食後血糖の上昇には大きな寄与はないのだと思っています。

また、**忘れてはいけないのは、白くても黒くても、糖質量はほとんど変わらないということ**です。

茶碗１杯１５０ｇの糖質量は、白米約55ｇ、玄米約51ｇ。そもそも茶碗１杯で糖質量40ｇという１食の糖質量の上限を超えていますし、そもそも、盛り付け方の若干の相違で糖質量が白米よりも多いということもありえるでしょう。ライ麦パンにいたっては、食パンより糖質が多く含まれることもあります。

つまり、体によいというイメージではありますが、**玄米やライ麦パンなどの「黒い食べ物」をおなかいっぱい食べることでは、血糖値の改善を期待しがたいということ**です。

血糖値を下げたい場合、ロカボのルールに従ってさえいれば、ＧＩ値や食べ物の色を気にしなくてもよいでしょう。

血糖値を下げるのが目的なら1日2食より、1日5食のほうが効果的

2章で話したように、せっかく1日の糖質量を130g以下に抑えても、1食で130g摂っては、ロカボ効果は半分以下になります。その1食で、食後高血糖が起きるからです。**ロカボは、1日3食が基本**です。

左図でもわかるように、食事、特に朝食を抜くと、食後の血糖値が上がりやすくなります。[*2] 逆に朝食のさいにたんぱく質や脂質を摂ると、インクレチンというホルモンが分泌《ぶんぴつ》され、昼食以降に体に糖質が入ってきたらすぐに糖質を細胞に取り込めるように、インスリンの分泌が前倒しになり、血糖値の上昇をゆるやかにします。

また、食事ごとにたんぱく質を摂ると若干筋肉の合成スピードが上がり、筋肉が衰えにくくなると考えられています。[*3] そういう意味では、**健康法として人気のプチ断食や断食など、長時間におよんで空腹時間をつくるのはおすすめしません。**断食直後は、たとえ少量の糖質でも血糖値が急上昇しかねませんし、筋肉量が衰えかねません。

食事を抜けば抜くほど、血糖値は上がりやすくなる

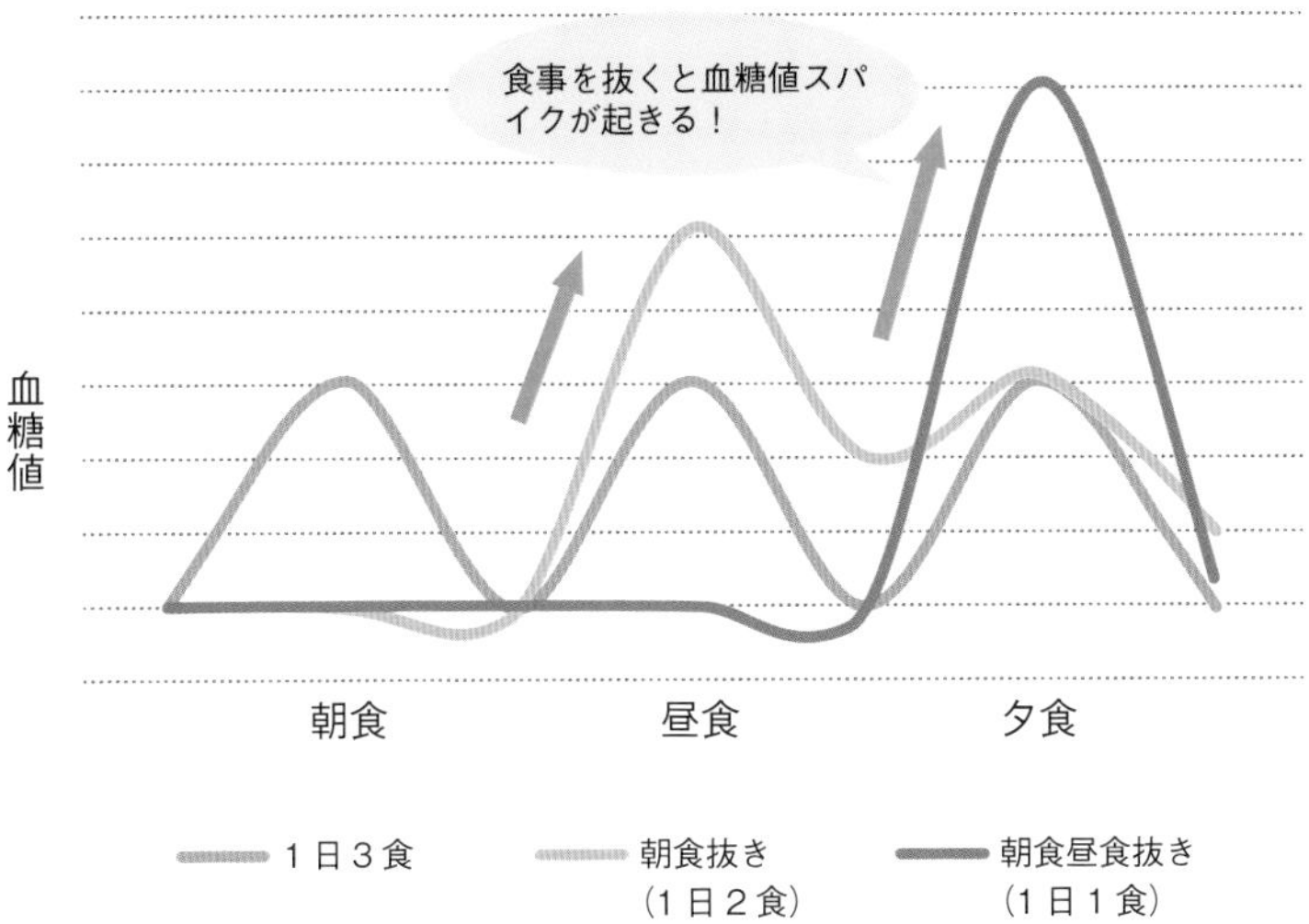

プチ断食健康法のベースと考えられるのは、空腹時間が長時間になると細胞の新陳代謝が活発になるという「オートファジー」理論ですが[*4]、現段階ではまだ十分な立証がなされているとはいえません[*5]。

1日1食、2食という習慣はおすすめしませんが、**1日の糖質量130g以下で4食、5食と食事を小分けにするのは問題ありません**。その分、1食の糖質量は40gより少ない設定になりますが、血糖値を安定化させる効果は期待できます。

そのさいも、おなかいっぱい食べることを意識してください。

ベジファーストよりカーボラスト。インクレチンパワーで血糖値の上昇を抑える

健康的な食べ方としてよく知られているのが「ベジファースト」[*6]。野菜を最初に食べるという食べ方ですが、ロカボの観点からいうと、もっと正しい方法があります。それは、カーボラスト。糖質たっぷりの主食やデザートを最後に摂る食べ方です。

魚→米、肉→米のいずれも、米→肉よりも血糖値が上がらなかったという報告があります[*7]。つまり、必ずしもベジファーストである必要はなく、ミートファーストでもフィッシュファーストでもよかったのです。**野菜であれ、お肉であれ、魚であれ、まずはおかずをしっかり食べる。そして、最後に主食を食べる。**これで血糖値の上昇を抑制できます。糖質（カーボ）が最後（ラスト）なのでカーボラストです。

左のグラフは、カーボファースト、カーボラスト、三角食べ（ご飯とおかずを交互に食べる）の血糖値の上昇度合いを表したものですが、カーボラストだけがゆるやかに上昇するのがわかると思います[*8]。

ご飯を最後に食べると血糖値は急上昇しない

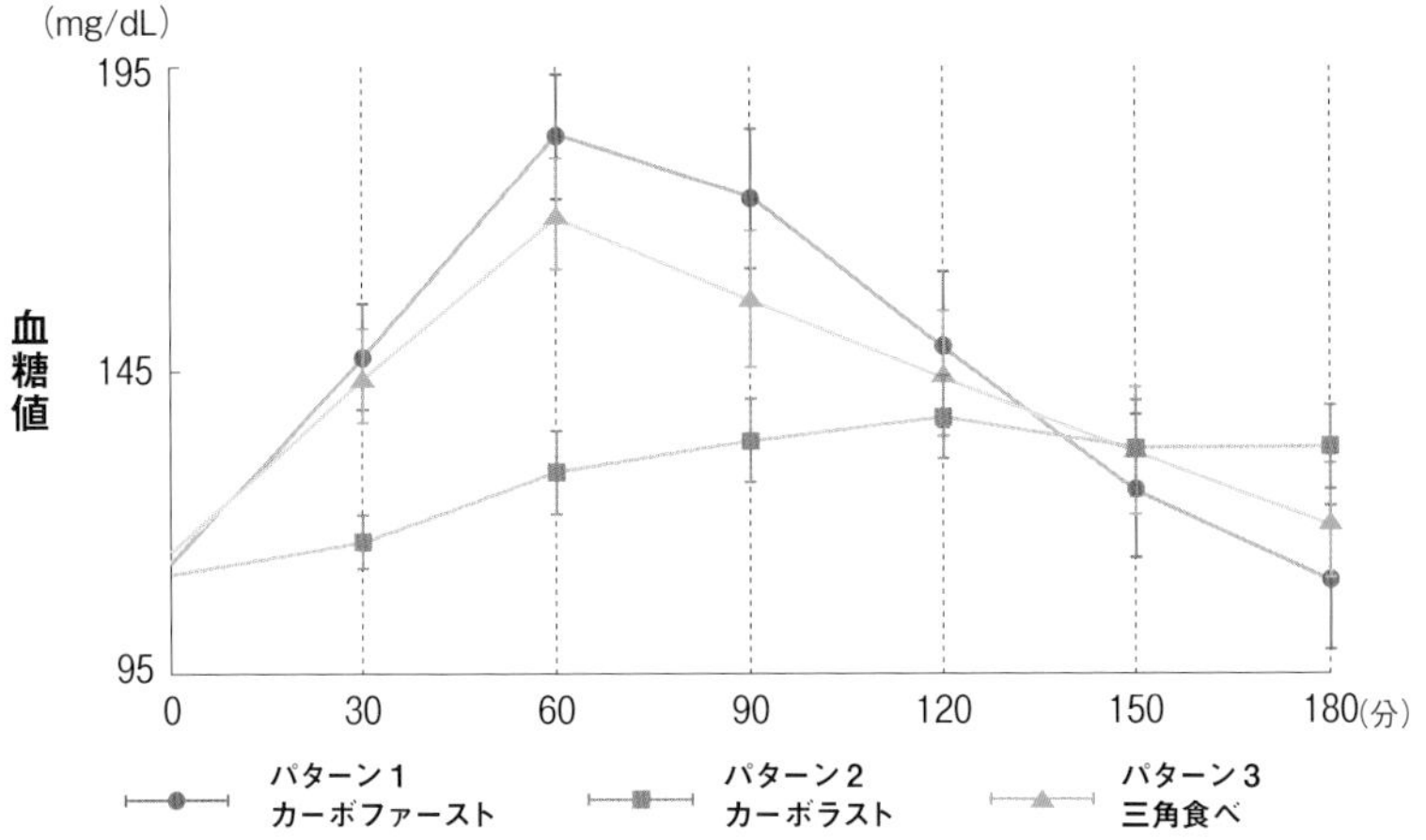

(米ニューヨーク・ウェイル・コーネル医科大学)

カーボラストだと血糖値上昇がゆるやかになるのは、たんぱく質や脂(油)を摂ることによって分泌《ぶんぴつ》されるインクレチンというホルモンが血糖値の上昇にブレーキをかけるからです。食物繊維も、大腸の中で菌たちの働きによって短鎖脂肪酸という物質に換えられ、その後、同じようにインクレチンが分泌されることがわかっています。

糖質に手をつけるまでの時間は、食べはじめてから30分後。忙しい朝や短いランチ時間の昼は難しいかもしれませんが、せめて20分はあけましょう。お酒好きの方なら夕食では乾杯を。お酒があれば30分がたつのはあっというまです。

朝こそ糖質を摂って頭に栄養を！は大間違い。朝のスムージーで血糖値は急上昇

朝からシャキッと活動するには血糖値を上げなくては、と思っている方もいますが、大間違い。**朝は1日の中でいちばん血糖値が上がりやすい時間帯**なのです。

左図は血糖値の日内変動を表したものですが、多くの方でいちばん血糖値が低くなりやすいのが朝食前。なぜなら、前日の夕食から朝食までの空腹時間が1日の中で最も長いからです。一方で、**朝は体を覚醒《かくせい》させるために血糖値を上げさせるホルモンが分泌《ぶんぴつ》されるため、何も食べていなくても朝食前に血糖値が上がってくる**人がいます。この現象を暁現象と呼びます。[*9] 勝手に血糖値が上がってくるので、朝食のときに血糖値を上げようと思って糖質を食べるのはナンセンスなのです。

そんな朝食で注意したいのが、スムージー。朝食はスムージーだけという方もいるようですが、ロカボの観点からはおすすめできません。「ダイエットをしながら野菜不足を補う」は、誤解。たんぱく質や脂質もしっかり朝食で摂るべきです。

空腹時間が長い朝は血糖値が急上昇しやすい

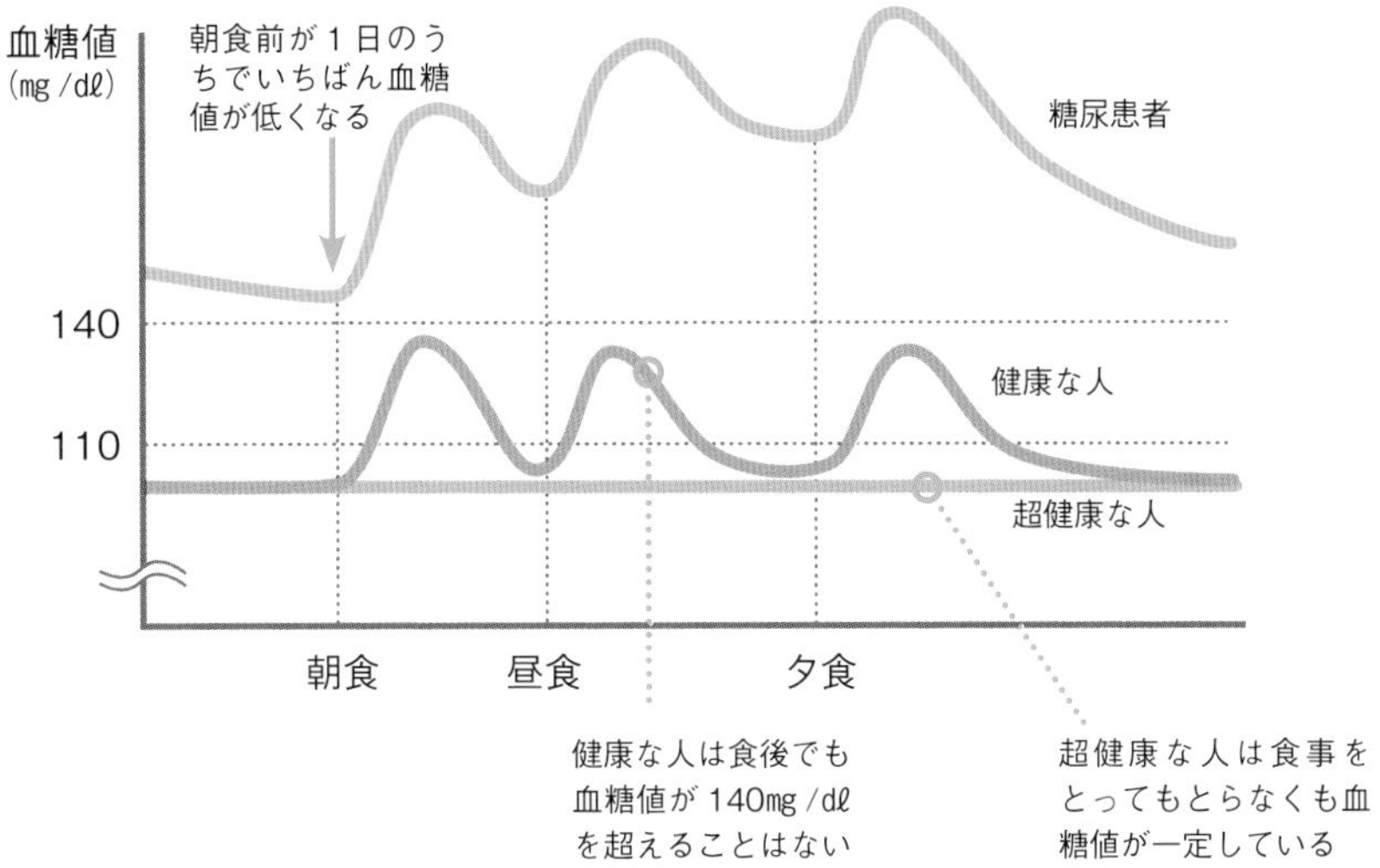
血糖値
(mg /dℓ)
朝食前が1日のうちでいちばん血糖値が低くなる
糖尿患者
140
健康な人
110
超健康な人
朝食
昼食
夕食
健康な人は食後でも血糖値が 140mg /dℓ を超えることはない
超健康な人は食事をとってもとらなくても血糖値が一定している

野菜だけなら低カロリーなので、もちろんダイエット効果はあるでしょう。しかし、カロリー不足で大切な筋肉が衰える原因になります。忙しくても、**スムージーだけでなく、ハム・ソーセージやゆで卵やナッツも食べるようにしましょう。**

また、スムージーにフルーツやはちみつを入れる方も多いと思いますが、空腹時に糖質を摂ると、血糖値が急上昇します。それは、筋肉を削りながら内臓脂肪をそのまま保つことにつながりかねません。体重は減ったのに、おなかはポッコリのまま。ロカボ的には全くおすすめできない食べ方です。

果物はでんぷんよりも血糖値を上げる要注意食材！

果物は、血糖値やメタボ対策という点では要注意食品です。

というのは、果物にはたくさんの糖質が含まれているからです。スーパーに並んでいる果物は甘さを強調するために「糖度○度」というPOPがついていることがよくあります。糖度とは、100gの中に何g糖質が含まれているかということ。高ければ、それだけ糖質が含まれているということです。しかも、その糖質に果糖（フルクトース）が含まれているのが、さらに問題なのです。

果物のGI値が低いのは、果糖は肝臓で10〜20%がブドウ糖に変換されますが、それ以外のほとんどは果糖のままで肝臓に取り込まれるからです。果糖は中性脂肪に換わりやすいのが特徴で、脂肪肝につながります。[*10]また、肝臓が中性脂肪を放出すると高脂血症になります。また、脂肪肝があるとインスリンの働きを弱めるため、血糖値を悪化させる一因になります。[*11]さらに、それを代償しようとして遅れてインスリンが

砂糖より注意が必要なのが果物だった！

	果糖		ブドウ糖
血糖上昇作用・インスリン分泌刺激	弱い	<	強い
甘味・脳の報酬系刺激	強い	>	弱い
肝臓におけるインスリン抵抗性の誘導	強い	>	弱い
肝臓における中性脂肪合成・脂肪肝の発症	強い	>	弱い
高脂血症、動脈硬化、虚血性心疾患の発症	強い	>	弱い
肥満・2型糖尿病・メタボリック症候群の発症	強い	>	弱い
がんの発生や進展の促進	強い	>	弱い
たんぱく質の糖化、老化の促進	強い	>	弱い

多量に分泌《ぶんぴつ》されると、その分、脂肪細胞（特に内臓脂肪）に栄養成分が取り込まれ、太りやすくするのです。太りやすいかどうかでいうと、実は、果糖はでんぷん（ブドウ糖のかたまり）や砂糖（ブドウ糖と果糖が同じ比率）より危険な糖質なのです。

果糖でさらに気をつけたいのは、清涼飲料水やお菓子などに使われている、ブドウ糖果糖液糖、果糖ブドウ糖液糖などと表示されている異性化糖です。

液体化されているため消化吸収がスムーズで、固体の糖質以上に血糖値の上昇を招きます。いろいろな食品に含まれているので十分に注意してください。

天然の砂糖より人工甘味料のほうが血糖値を上げない

ロカボを実践するうえで、一般的なイメージとは違い注意しなければいけないのが、前述した玄米や果物などの血糖値の上昇をゆるやかにする低ＧＩ食品です。逆に、**積極的に取り入れたいのが、人工甘味料**です。

糖質そのものである砂糖を控えたら、甘いものが食べられなくなると思っている方がいると思いますが、血糖値対策としては甘いものを食べたければ、人工甘味料を使えばいいのです。**コーヒーゼリーに甘味料を入れて、（乳脂肪分が高い）生クリームをたっぷりのせる。ロカボでは、全く問題ない食べ方**です。

人工甘味料を使うことに抵抗があるのは、「脂（油）は太る」と同じように、「人工甘味料は体に悪い」という固定観念が刷り込まれているからでしょう。

日本でよく使われている、糖アルコールに分類されるエリスリトールは、消化吸収

血糖値を上げる甘味料、上げない甘味料

血糖値を上げる甘味料	血糖値を上げない甘味料
砂糖	人工甘味料（アスパルテーム、アセスルファム・カリウム、スクラロースなど）
でんぷん由来の糖（果糖、ブドウ糖、水あめなど）	天然甘味料（ステビアなど）
その他の糖（オリゴ糖、乳糖など）	糖アルコール（キシリトール、エリスリトールなど）

されてもそのまま尿で排泄《はいせつ》されるため、エネルギーにはならず、血糖値も上がりません。欧米では、摂取量の上限を設定する必要のない安全な食品として分類されています。

またアスパルテームやアセスルファム・カリウムなどの人工甘味料は、欧米では摂取できる上限量が設定されていますが、その量は、この2つの物質ではなんと缶ジュースにして1日15〜25本分。*12 ふだんの食生活ではとても摂れる量ではありません。

甘味の感覚は人それぞれなので好みはあるかもしれませんが、どうしても甘いものを食べたいときは、砂糖を入れるなら人工甘味料を活用するようにしましょう。

すべての脂（油）が基本的にOK。ただし古い油と人工的な油はさける

おなかいっぱいになるために脂質をしっかり摂る。これがロカボを続けるポイントの一つ。動物性の脂も、植物性の油も、すべての脂（油）が基本的にＯＫです。

脂（油）を摂るときに気をつけるのは2点のみ。一つはトランス脂肪酸といわれる人工的な油、もう一つは過酸化脂質と呼ばれる古くなった油をさけることです。

液体の油を人工的に固形化するときにできるトランス脂肪酸は、心臓病の発症に深く関連するといわれています。アメリカでは、２０１８年6月から、トランス脂肪酸の食品添加の使用を原則禁止にしています。トランス脂肪酸はマーガリンやファットスプレッド、ショートニングなどに含まれていますが、日本の大手油脂メーカーがつくるマーガリンは、トランス脂肪酸をかなり低減しているといいます。

また、油は古くなって酸化すると有害な物質を発生し、下痢《げり》や嘔吐《おうと》、腹痛など体に害を及ぼします。**胸焼けするような油は古くなった油。**「脂っこいものを食べると胸

人工的な油（トランス脂肪酸）には要注意！

油の分類

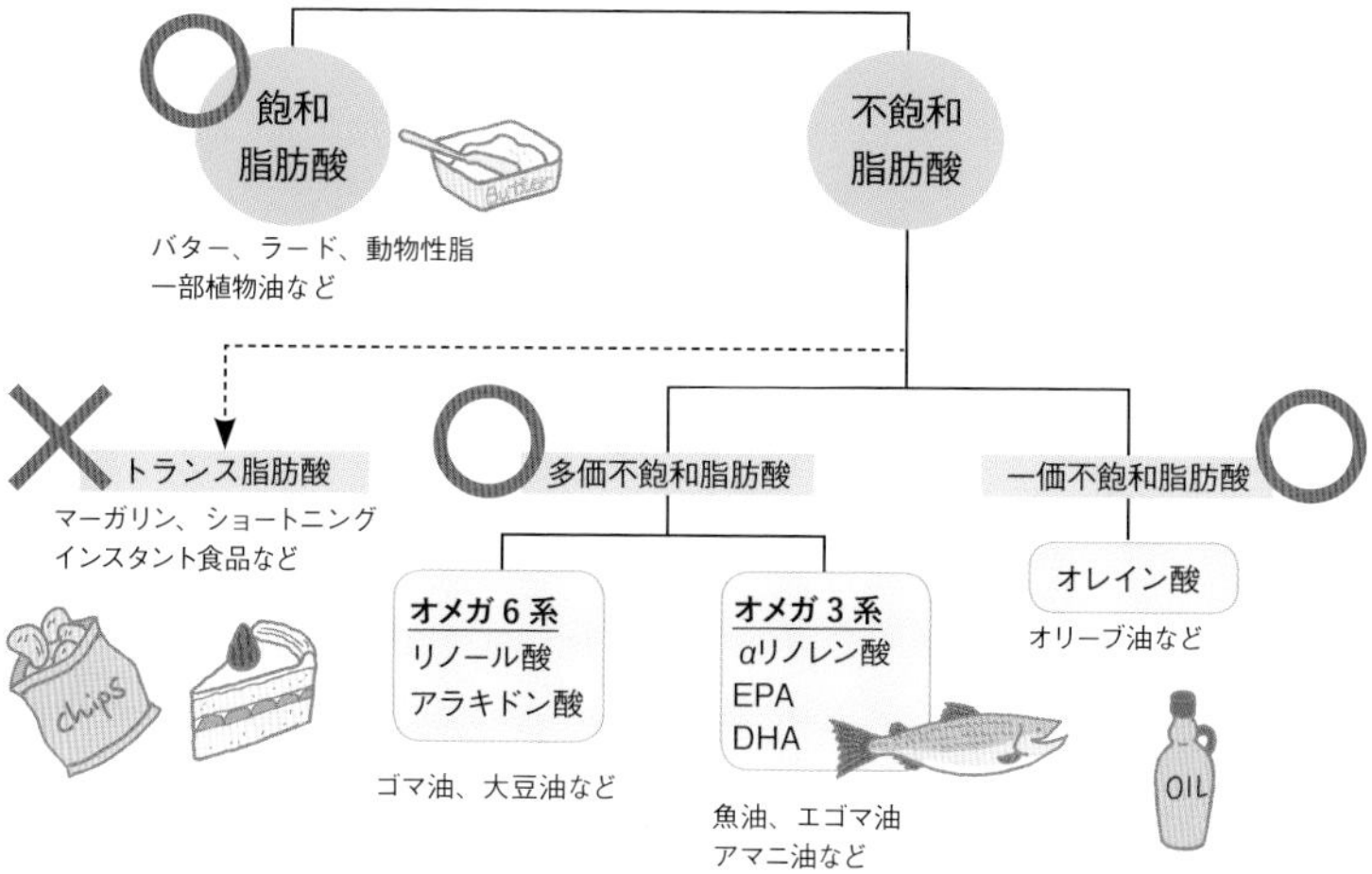

焼けする」と思っていらっしゃる方は、ぜひ、新鮮な油にこだわってみてください。おなかがいっぱいなのに胸は軽い、と体感されることでしょう。そう！**揚げ物は最高のロカボ食品**なのです（ただし、衣は糖質なので分厚い衣の揚げ物は要注意です）。

脂（油）を摂りすぎると体に悪いといわれていたのは、昔の話。肉も魚も、卵も乳製品も、さらにはオリーブ油に代表される植物性脂も、積極的に摂りましょう。ただし、酸化しやすいとされるアマニ油とエゴマ油は、購入したらすぐに使い切るようにし、酸化をさけましょう。

ヒレとロースに悩まなくていい。たんぱく質は毎食コツコツ摂って筋肉をつくる

ロカボでは豚肉を食べるときに、ヒレを食べようか、ロースを食べようか悩むことはありません。好きなほうをおなかいっぱい食べてください。あなたの肉となり、骨となり、エネルギーになります。それでは、1日にどれくらい摂ればいいのか。

ロカボでのたんぱく質の摂取目標は、**最低で体重1kg当たり1日に1・2g**。体重60kgであれば1日72gです。**理想は、体重1kg当たり1・5g**。体重60kgであれば、1日90g。ゆで卵なら約13個、豚ロース肉なら約450g……。もちろん1日分のたんぱく質を単品で摂ることはないでしょうから、いくつかの食材を組み合わせて摂ることになります。それを考えるのも、ロカボの楽しみ方の一つです。

たんぱく質を摂るときに気をつけるのは、毎食摂ることです。[*3] というのは、**たんぱく質を摂るたびに筋肉を合成するスイッチが入る**からです。スイッチが入らないと合成が遅れて分解が進み、筋肉が衰えることになります。ちなみに**スイッチを入れるの**

たんぱく質を摂るなら、肉、魚、卵、大豆製品、乳製品

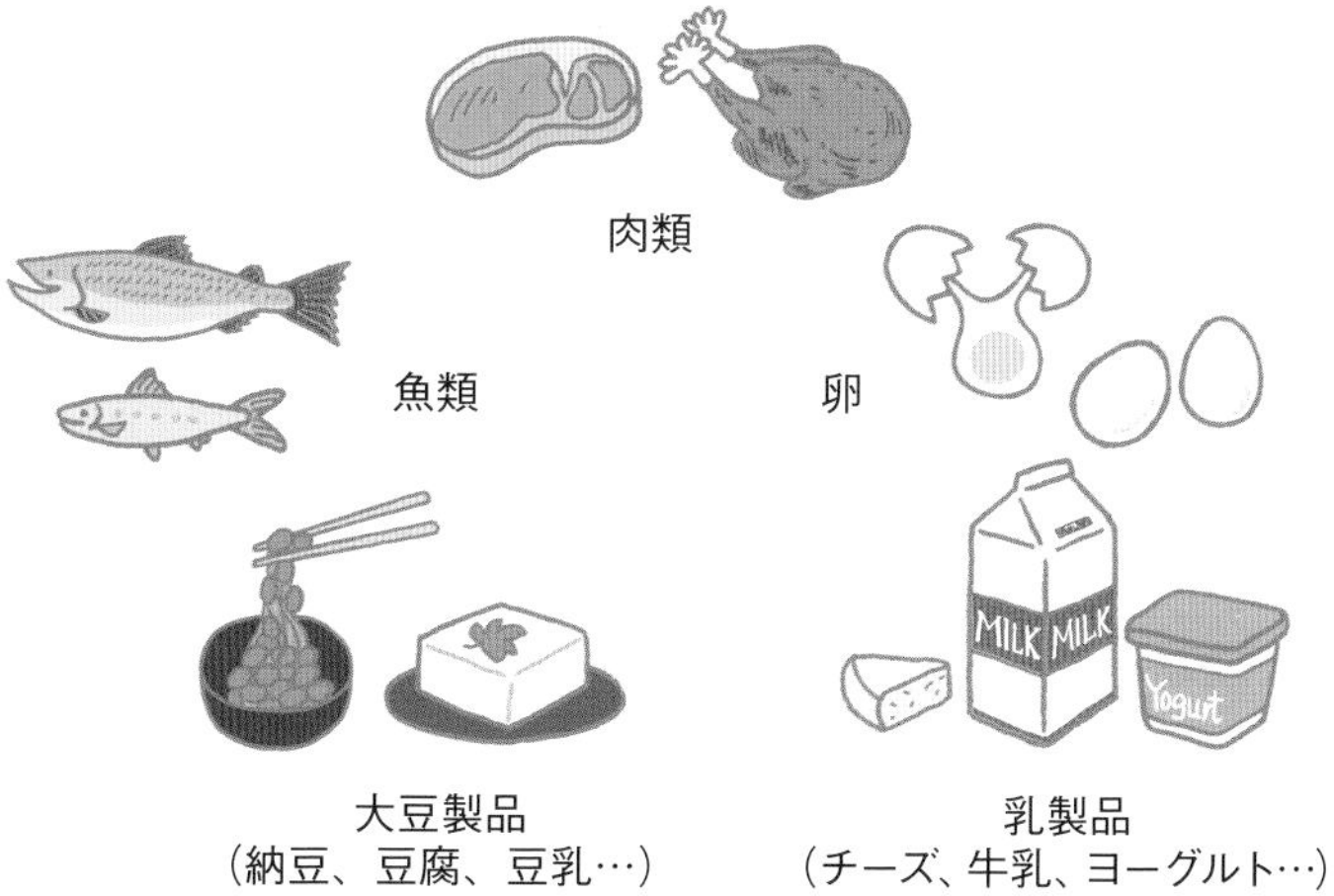

に必要なたんぱく質量は、若者は1食で約10g、高齢者は1食で約20gといわれています。高齢の方は、若者以上に、毎食たんぱく質を摂る必要があるのです。[*13]

なお、古い食事摂取基準では体重1kg当たり1日に2・0gを上限量（これを超えて食べるべきではない）とされていましたが、2010年以降は根拠がないという理由で撤廃されています。[*14] WHOでは1日2・49gを超えたら注意して見守りなさいといっています（やってはいけないとはいっていません）。[*15] ただし、これだけの量を食べられるのは、必死でたんぱく質を摂っているボディビルダーくらいでしょう。[*16]

糖質いっぱいの調味料には要注意。特に砂糖は黒いものでも控える

血糖値を下げる食べ方を実践するときに盲点になりやすいのが、調味料です。調味料の中には糖質を多く含むものもあるので、使い方しだいでは、主食と合わせると上限をオーバーしてしまうこともあります。

調味料の中で最も注意したいのは砂糖です。砂糖は糖質100%なので、使えば使うほど、摂取する糖質を減らすために主食の量を減らす工夫が必要になります。**黒糖や三温糖、和三盆など、健康のために白い砂糖を使わない方もいますが、糖質量を見ると砂糖と大差ありません。**

どうしても使わなければいけない料理ならしかたありませんが、甘さがほしいというだけなら、そうした砂糖類を使うのを控えて、人工甘味料を使うほうが、血糖値対策には圧倒的に効果があります。

覚えておきたい。大さじ1（15g）当たりの糖質量

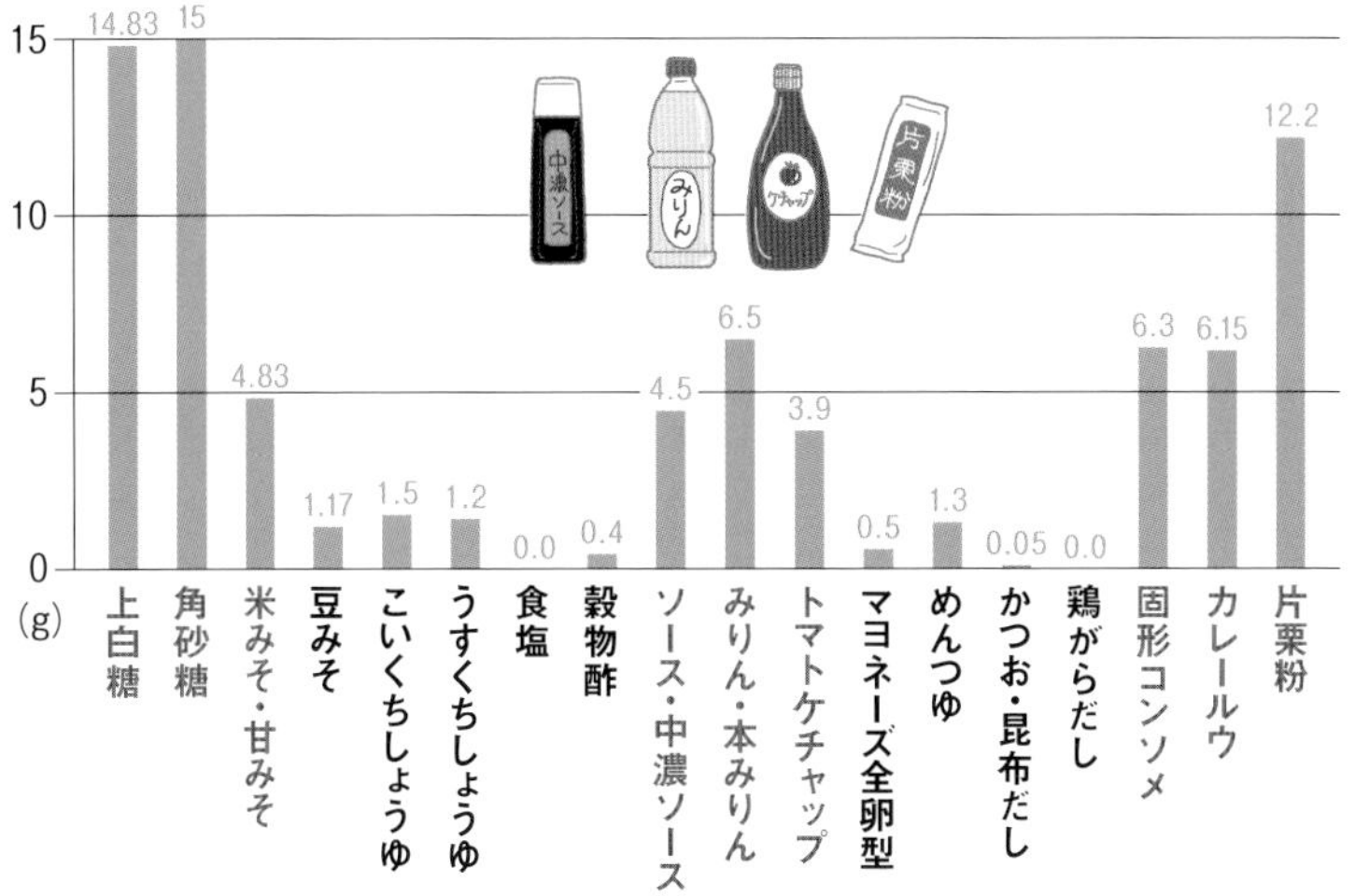

砂糖以外では、とろみをつけるときによく使う片栗粉が、でんぷんたっぷりで高糖質。

それから、甘みづけに砂糖代わりに使われることもあるみりん、さらにトマトケチャップ、とんかつソース、固形コンソメ、カレールウなども注意が必要な調味料です。

そういったものを使わなくても、卵が原料となるマヨネーズやオリーブ油、ゴマ油、生クリームや無塩バターなどを上手に使うことでもおいしい料理ができ上がります。

ハイボール片手にから揚げ、ワイン片手にチーズは血糖値対策としては◎

お酒が好きな方は、白米やパンを控える以上に気になっているのがアルコールでしょう。**高血糖対策としては、お酒はOK。**[*17] これが結論。もちろん飲みすぎはよくありませんが、お酒好きの人にとっては、ロカボは実践しやすい食事法かもしれません。

まず、**ウイスキー、焼酎《しょうちゅう》、ジン、ウオッカなどの蒸留酒は、もともと糖質0なのでまったく問題ない飲み物です。**醸造酒は糖質を含みますが、ワインは微量ですし、糖質が多い日本酒でも1合に含まれる糖質量は8～9g。これなら、主食を調整するだけでお酒を楽しむことができます。

極論すると、ご飯を抜いて日本酒2合のほうがアルコールの力で食後の血糖上昇にブレーキがかかるので、血糖値対策にはいいのです。ビールが飲みたいときには、ジョッキ1杯のビールを飲んでからハイボールに切り替えるといった飲み方がおすすめです。もちろん糖質を抑えたビールや発泡酒ならもっと楽しむことが可能です。

蒸留酒なら何でもOK。ワインも低糖質！

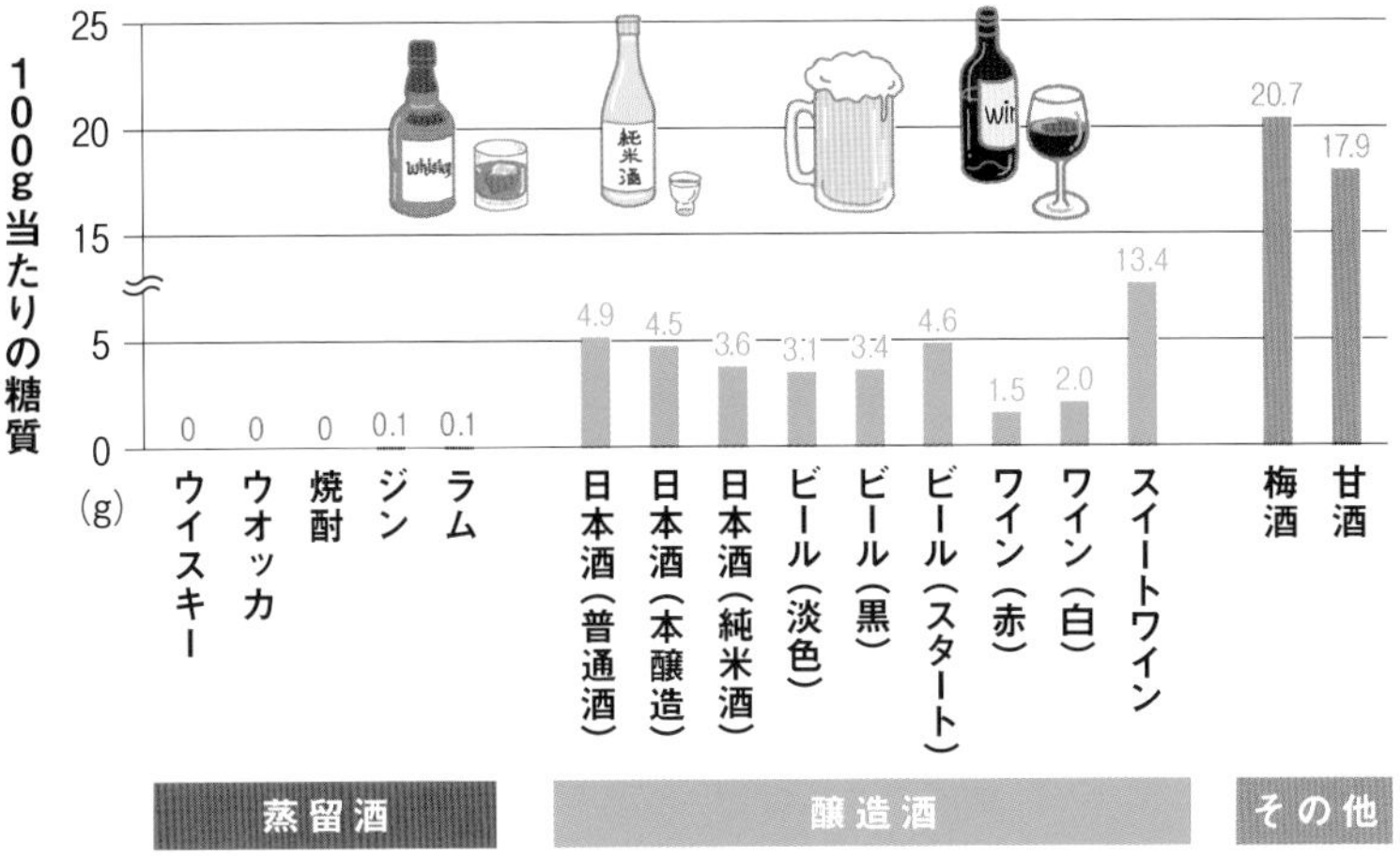

あとは、おつまみでたんぱく質と脂（油）をしっかり摂る。ハイボール片手にから揚げを食べる、食卓にはお刺身や冷ややっこ、枝豆……。ワイン片手にチーズを食べる、食卓にはカルパッチョ、オリーブ油をかけた野菜サラダ……。この、見方によると不健康に映る食事も、実はロカボではばっちりなのです。

私の患者さんに毎日飲み会続きの営業マンの方もたくさんいらっしゃいますが、おつまみ・おかずを工夫し、ロカボの食事に切り替えることで、全くお酒の量を減らすことなく血糖値や中性脂肪値や肝臓機能の数値の改善に成功する方が多いです。

ロカボのメリットはがまんしないこと。低糖質食品を上手に利用する

ロカボになかなか踏み切れないのは、これまでそれなりにいっぱい食べていた、例えば白米やパン、スイーツなどを減らさないといけないと考えるからではないでしょうか。糖質を減らす代わりに、それ以外のものはおなかいっぱい食べられるのですが、好きなものを減らすのは……、ということでしょう。

ロカボを始めるときに、「糖質をがまんする」と考えると続けられなくなります。私のカロリー制限があえなく挫折《ざせつ》したのと同じように、がまんにはいつか限界がくるからです。そんな人たちにおすすめしているのが、低糖質食品です。**低糖質食品なら量を食べられる**からです。

世の中の健康志向で糖質制限に注目が集まる中、日本の食品メーカーも低糖質食品の開発に続々と取り組みはじめています。スーパーやコンビニにも、パッケージに「**糖**

おなかいっぱい糖質を食べたいときは 低糖質食品

質オフ」「糖類0」「糖質○%カット」などをうたった商品が、数多く並べられるようになりました。

調味料からパン、ご飯、スイーツ、お酒など幅広いカテゴリーで開発されているので、うまく活用すると手軽にロカボが始められ、継続しやすくなります。うどんやラーメン、パスタは糖質量が半分になれば、これまでと同じように1人前が食べられます。スイーツも心おきなく食べられます。

近くのスーパーやコンビニで買える低糖質食品を利用しながら、ロカボを始めるのもいいのではないでしょうか。

大盛りの人は半分、2膳だった人は1膳から。工夫を楽しみながら続けるのがロカボ

ロカボは、これまで食べてきたものが食べられなくなるという食事法ではありません。糖質がたくさん含まれている食べ物を減らしましょう、その代わりにたんぱく質や脂（油）、食物繊維などをおなかいっぱい食べましょうという食事法です。

もちろん、いきなり糖質を1食40g以下というのは難しいと感じる方もいらっしゃるかもしれません。そういう人は、例えば、ご飯大盛りだった人は半分にしてください、2膳だった人は1膳にしてください。その分、おかずを増やしてください。**もっと肉を食べてもいいし、魚を食べてもいい。ご飯をどれだけ減らせるかではなく、どうやったらおいしくおかずで満腹になれるか。**そんな工夫を楽しんでみてください。

私の経験では、満腹なのに減量できている、血糖値が改善できている。そんなことに気づくと、多くの方が喜んで、さらに糖質摂取を1食40gに近づけていきます。そう、ちょっと試したら、思わずもっとやってみたくなる。それがロカボなのです。

第4章

健康貯金は「ロカボ」でつくる！

日本人の三大死因のはじまりは糖質過多による血糖異常!?

血糖値を下げる食べ方であるロカボですが、実は、それだけではない健康効果がたくさんあります。というのは、**がん、心臓病、脳卒中という日本人の三大死因は、糖質過多による血糖異常からはじまっているともいえる**からです。

この章では、ロカボを実践することで得られるうれしい健康効果について話していくことにしましょう。

血糖値が高めのあなたなら、生活習慣病はご存じだと思います。食事、運動、喫煙、飲酒などの生活習慣が発症や進行に関与している病気の総称です。糖尿病、高血圧、脂質異常症の3つで、その約8割を占めるといわれています。

この3つの生活習慣病の根っこにあるのが、糖質過多。そして糖質過多からはじまる負の連鎖が左図の「メタボリックドミノ」という概念図です。[*1,2]

糖尿病、がん、心臓病、脳卒中に続く「メタボリックドミノ」

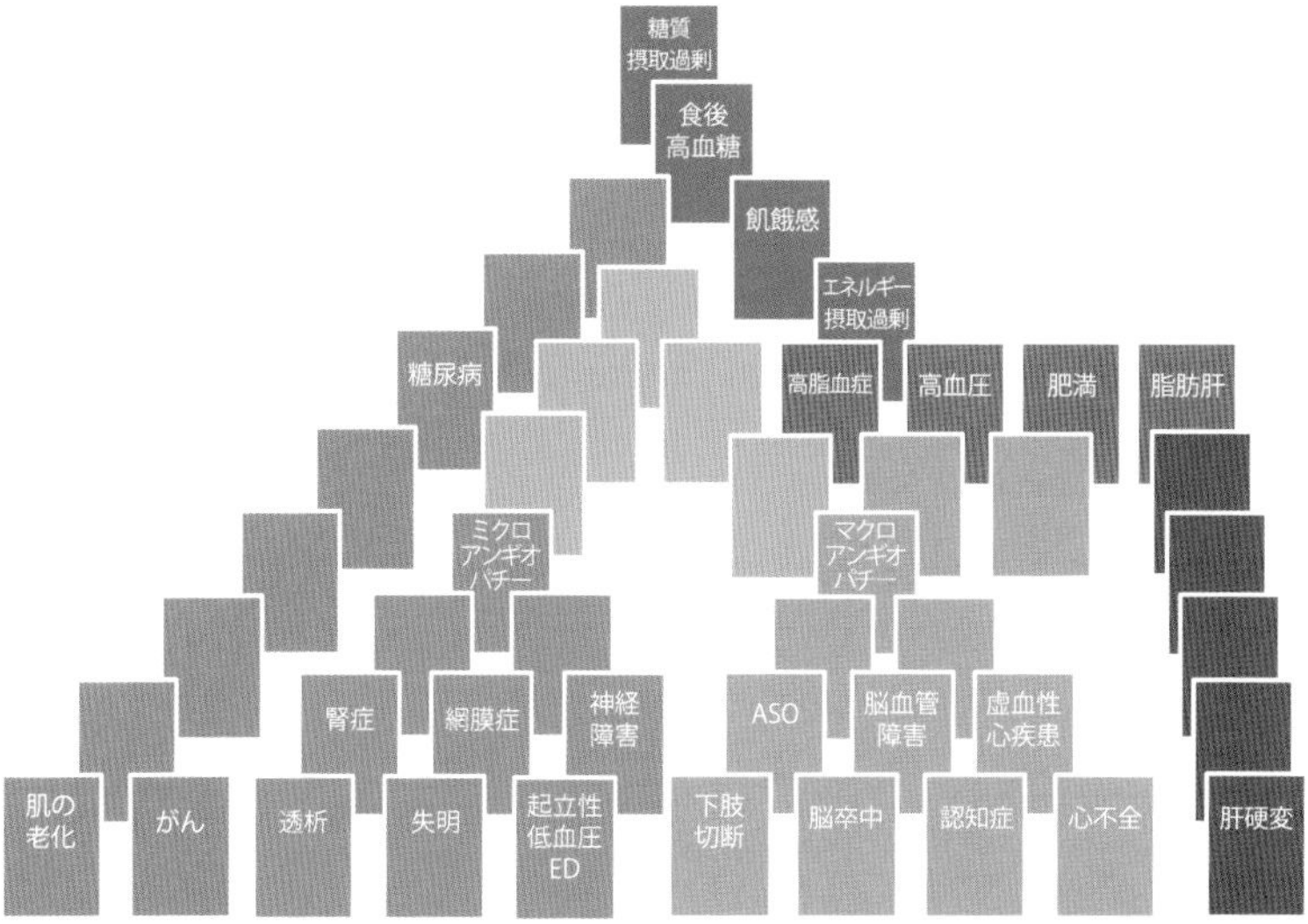

（伊藤裕. 日本臨床 2003,61,1837-1843 よりJAMA Intern Med 2018,178,1098-1103 を踏まえ改変）

糖質過多で食後高血糖が起きるようになると、肥満、糖尿病、高血圧、高脂血症、脂肪肝につながり、やがて透析、失明、下肢切断、脳卒中、心不全、認知症など、さまざまな病気を引き起こすことになります。

このドミノを倒さないようにするのが、ロカボです。

根っこにある「糖質過多」を解消することができれば、その後に続く、糖尿病や高血圧などの生活習慣病を予防し、がん、心臓病、脳卒中などの発症リスクを遠ざけられるようになります。

食後高血糖で起きる糖化反応が全身の老化を加速させる

糖質過多が続くことで最初に起きる体の異変が食後の高血糖です。しかし、食後に血糖値が急激に上昇しても、しばらくすると正常の範囲に落ち着くため、血糖値を計測しない限り、なかなか気づくことができません。ただし、空腹時血糖値が高めの人は、すでにかなり前から食後高血糖が起きていると思っておいたほうがいいでしょう。

高血糖とは、血液中にブドウ糖があふれている状態です。それで何もなければいいのですが、**あふれているブドウ糖は、たんぱく質とくっつく**という行動を起こしてしまいます。これが、**「糖化」**（グリケーション）という反応です。そして、たんぱく質が劣化し、**AGEs（糖化最終生成物）**という物質が生まれます。

このAGEsが体に蓄積されてくると、たんぱく質が本来の働きができなくなり、体中のあちこちで悪さをするようになるのです。

糖化反応が怖いのは、糖化でつくられるAGEs

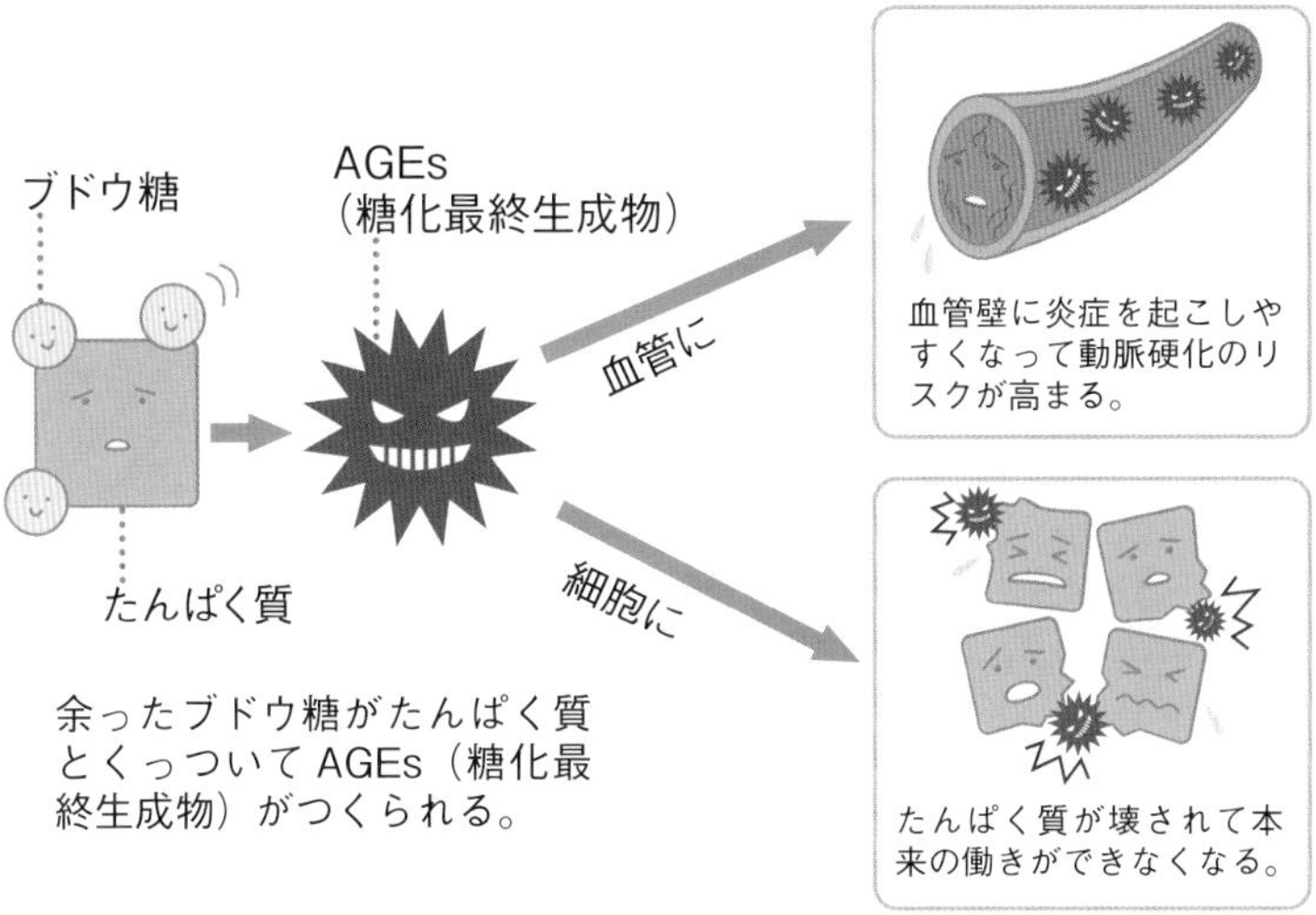
ブドウ糖
AGEs
（糖化最終生成物）
たんぱく質
血管に
細胞に
余ったブドウ糖がたんぱく質とくっついてAGEs（糖化最終生成物）がつくられる。
血管壁に炎症を起こしやすくなって動脈硬化のリスクが高まる。
たんぱく質が壊されて本来の働きができなくなる。

例えば、肌や髪、骨などに含まれるコラーゲンやケラチンというたんぱく質の機能が衰えると、肌のハリが失われ、シミやくすみの原因になり、髪のハリもツヤもなくなり、骨はもろくなると考えられています。

血管にＡＧＥｓが蓄積されると血管壁に炎症が起こりやすくなって、動脈硬化のリスクが高まります。白内障や網膜症といった目の病気や腎《じん》機能の低下なども糖化が引き起こすといわれています。

体に起きるあらゆる老化現象の原因の一つは、食後高血糖でもあるのです。

血糖値が乱高下すると血管に致命的なダメージを与える

食後に血糖値が急上昇すると、慌ててインスリンが大量に分泌《ぶんぴつ》され、血糖値が急降下します。これが「血糖値スパイク」です。**血糖値スパイクが起きると、糖化だけでなく、酸化ストレスという体にダメージを与える現象が引き起こされます。**

酸化ストレスの原因は、体内で発生する活性酸素。もともとは細菌やウイルスを撃退してくれる活性酸素ですが、体に備わっている酸化を抑えるシステム（抗酸化）とのバランスがくずれるほど異常発生すると、正常な細胞や遺伝子を攻撃するようになります。活性酸素の発生要因はさまざまですが、血糖値スパイクもその一つです。

活性酸素が血管を傷つけると、その修復作業で血管の内壁が厚く硬くなります。そして**血糖値スパイクがくり返されると動脈硬化が進行し、やがて心筋梗塞《こうそく》や脳梗塞の発症につながります。**

血管疾患につながる血糖値スパイク

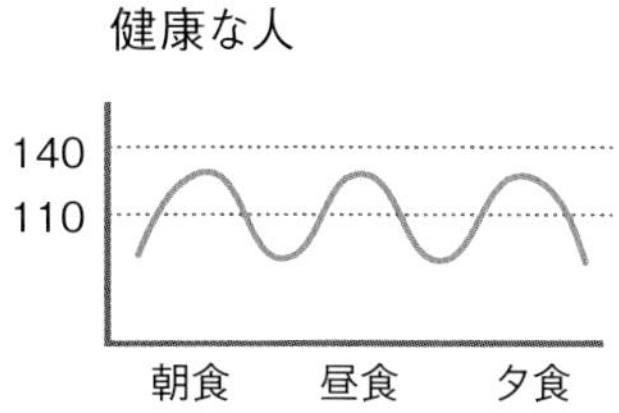

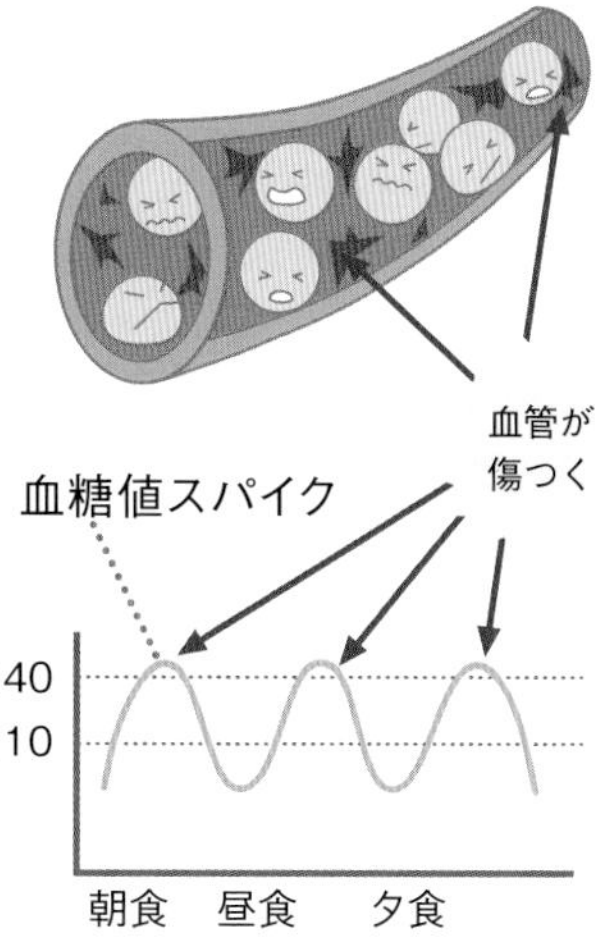

血糖値スパイクがくり返されると、酸化ストレスと血糖値の乱高下で動脈硬化が進行し、心筋梗塞や脳梗塞の発症につながる。

①血糖値が完全に正常な人、②空腹時血糖値だけが高い人（110㎎／dℓ以上）、③空腹時血糖値は標準で食後の血糖値が高い人（140㎎／dℓ以上）、④糖尿病の人、この4つのグループで死亡率を調べた研究があります[*3]。

心臓病で亡くなった割合が多かった順は、④③②①。ただし、空腹時血糖値だけが高い②の人は、空腹時も食後も血糖値が正常な①の人とほとんど差がありませんでした。つまり、**健康診断で確認できる数値より、自覚できない食後高血糖のほうが危険だということ**。そのためにも糖質過多の食生活から抜け出すことが肝心なのです。

酸化ストレスで脳の細胞が死ぬ。血糖値の乱高下で認知機能も衰える

食後高血糖によって引き起こされる血糖値スパイクが認知症と深く関連していることもわかってきています。[*4]

脳細胞に酸化ストレスを与えると細胞が死んでしまうことは、モデル動物を使った実験で明らかになっています。[*5] また、高血糖自体でも細胞死は発生しますが、血糖値が乱高下するほうが細胞が死滅する確率は上昇します。[*6]

血糖異常の人はそうでない人より、認知症の約7割といわれるアルツハイマー型の発症リスクが1・6倍高いことがわかっています。[*7]原因かもしれないと考えられているのは、食後高血糖とその後の肥満によるインスリンの働きの低下です。

アルツハイマー型は、「脳のゴミ」といわれるアミロイドβ《ベータ》という物質が脳内に蓄積することで認知機能が衰えるのではないかと考えられています。

認知症も糖質の摂りすぎからはじまっていた！

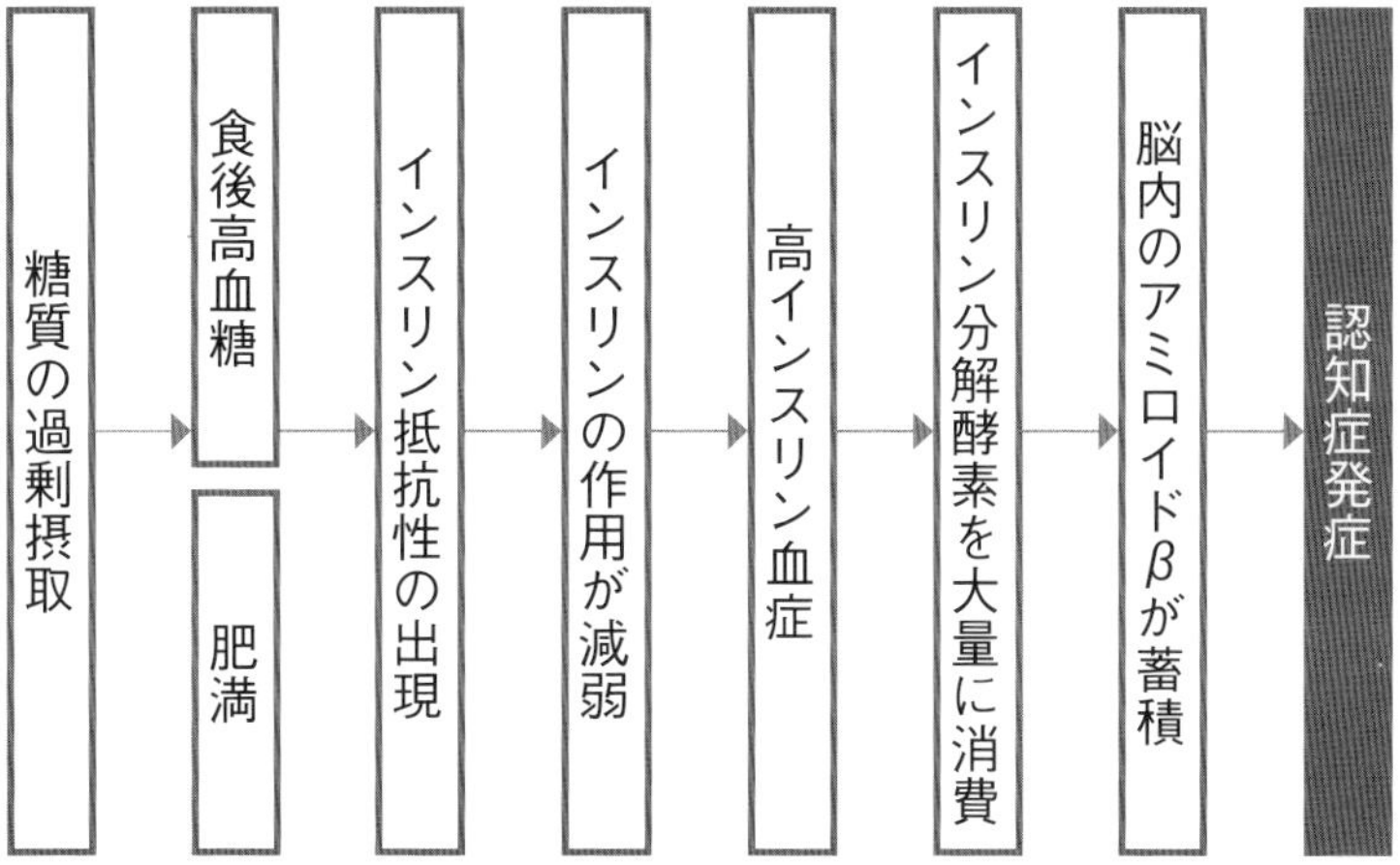

このアミロイドβを除去するために働いているのが、実は、すい臓でつくられたインスリンを処理するためにも使われる「インスリン分解酵素」です。

インスリンの働きが正常ならいいのですが、悪くなると必要以上にインスリンを分泌《ぶんぴつ》しなければならなくなります。糖質過多になると、さらに必要になります。そうなると、インスリン分解酵素はインスリンの処理で手いっぱいになり、アミロイドβの分解にまで手が回らなくなってしまうのです。

それだけアルツハイマー型を発症するリスクが高まることになります。[*8]

ロカボを実践すると太っている人はやせる、太っていない人は理想的な体型になる

生活習慣病の元凶といわれるメタボ。もとをたどれば糖質過多からはじまることですから、もちろんロカボを実践していただければ解消できます。

そもそも、どうして太るのか。

それはいたってシンプル。**食後高血糖が起きるような量の糖質を摂るからです。**糖質を摂り、食後高血糖になると、（後から遅れて）インスリンが（その分、多量に）分泌《ぶんぴつ》されて血液中のエネルギー源を脂肪細胞に放り込みます。そして、このことで血糖値スパイクが生じて飢餓《きが》感が生じてもっと食べることになります。

糖質の摂取は直接的に脂肪細胞に入って肥満を生み、間接的に飢餓感からさらなるエネルギー摂取を生んでもっと肥満を助長するのです。

おそらく、長い人類の歴史の中で、安定して糖質を多量に摂取できるのは秋だけと

いう時間が長かったと思われます。農業発達以前の時代の人類は、（食料を確保しがたい）冬に備えて、秋には糖質から得られるエネルギーを脂肪細胞に取り込ませる必要があったのではないかと推測されています。

脂肪を蓄積することで、冬の食糧難・エネルギー不足を乗り越えられますし、ことによると防寒作用も期待できるのかもしれません。「食欲の秋」という言葉がありますが、考えると、糖質を食べると満腹感を感じにくいことを私たちは昔から体感していたのかもしれません。

それでも若いころは、エネルギー消費が高いこともあって、ため込んだ脂肪を速やかに消費することができます。しかし、年齢を重ねるとそうはいきません。エネルギー消費が追いつかなくなり、ため込むいっぽうになるのです。

解消する方法は簡単。糖質を控えることです。毎食、食後高血糖を起こさないようにに糖質だけを控えるようにすると余計な脂肪をため込むことはなくなります。くり返しですが、たんぱく質と脂質については、満腹になるまで食べることでちょうどよいエネルギー摂取になります。

糖質過多で起きる太るメカニズム

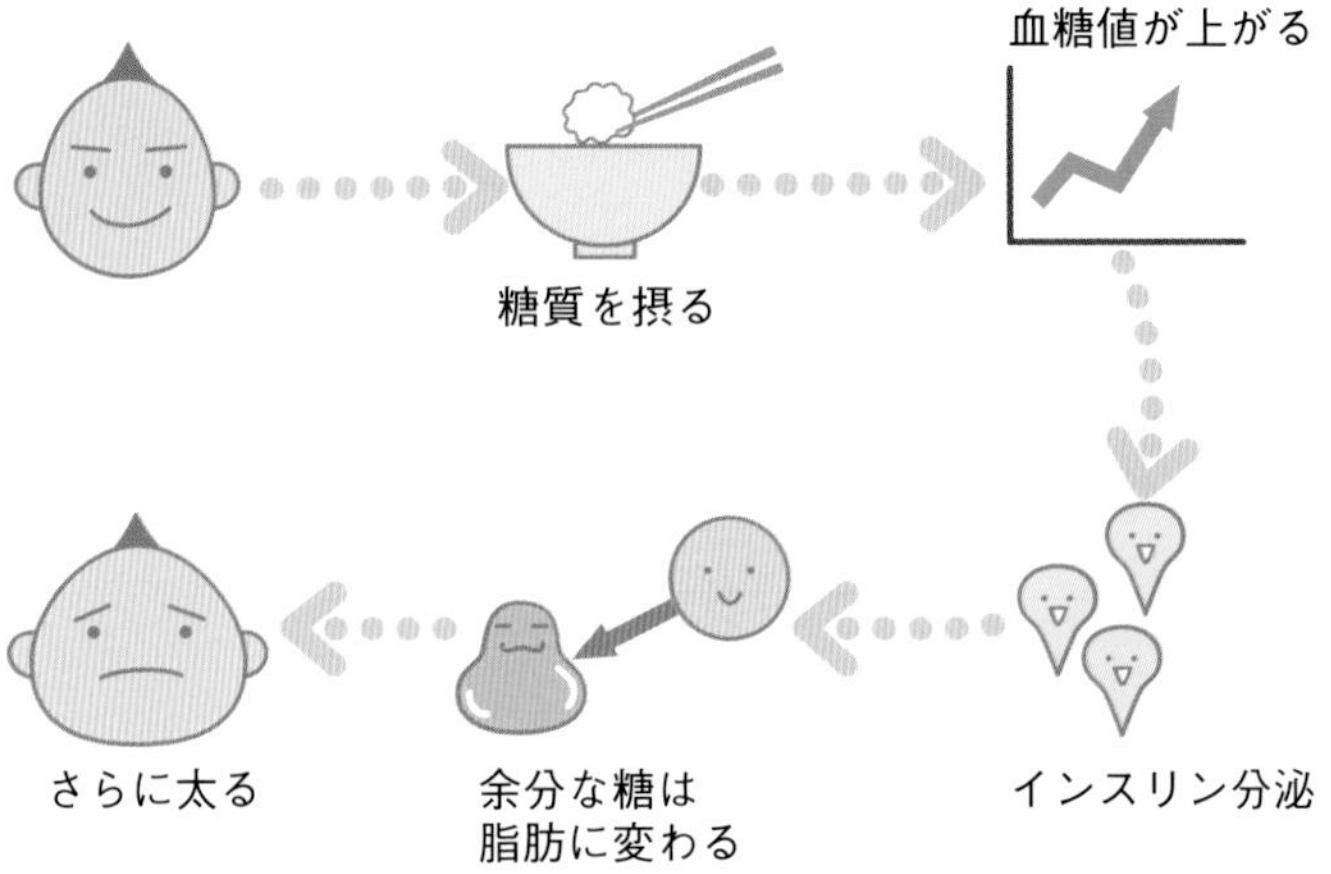
血糖値が上がる
糖質を摂る
さらに太る
余分な糖は
脂肪に変わる
インスリン分泌

糖質過多で起きる最悪のスパイラル

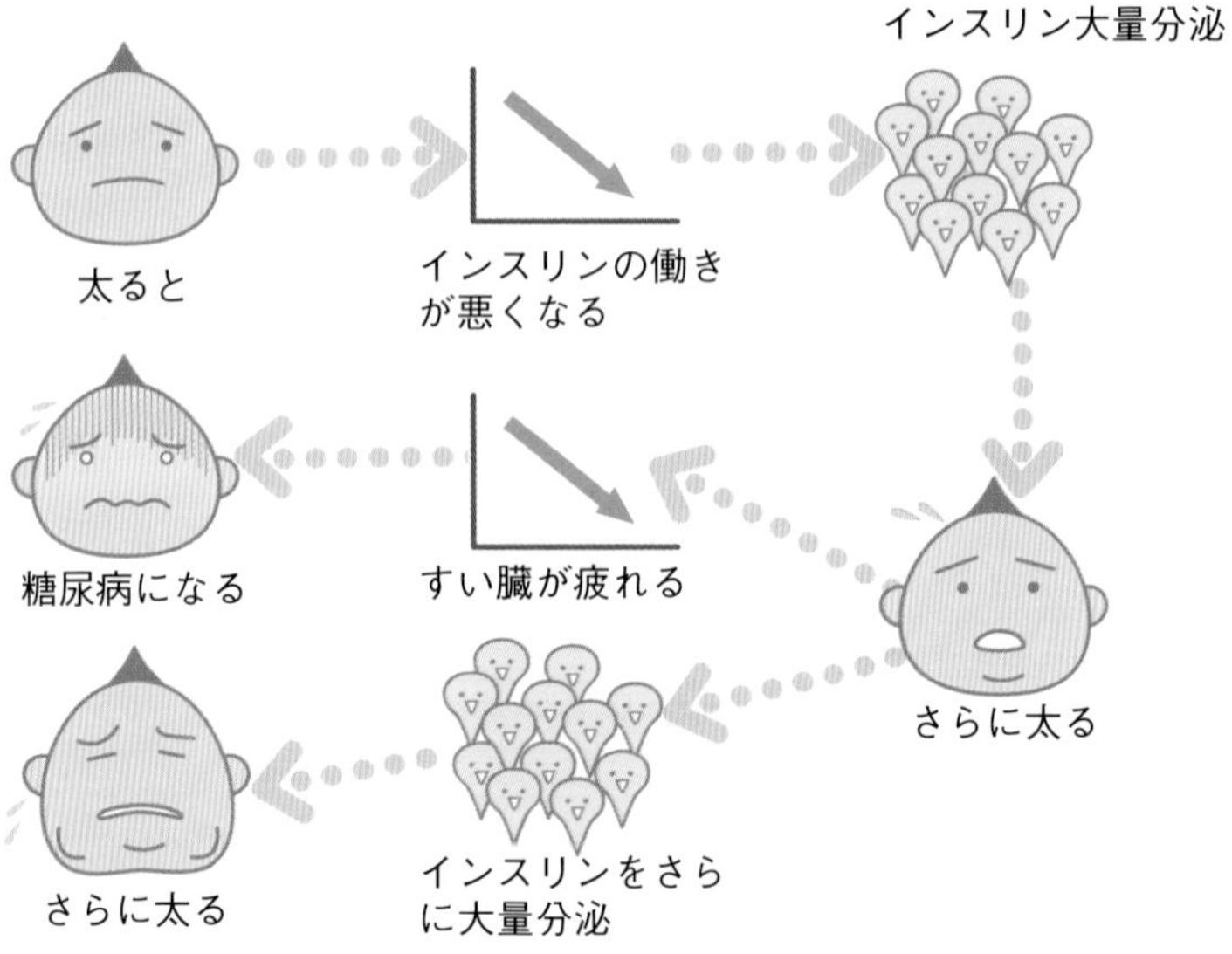
インスリン大量分泌
太ると
インスリンの働き
が悪くなる
糖尿病になる
すい臓が疲れる
さらに太る
さらに太る
インスリンをさら
に大量分泌

食を楽しみながらしっかりやせる。無理なく続けられる「ロカボ」体験者の声

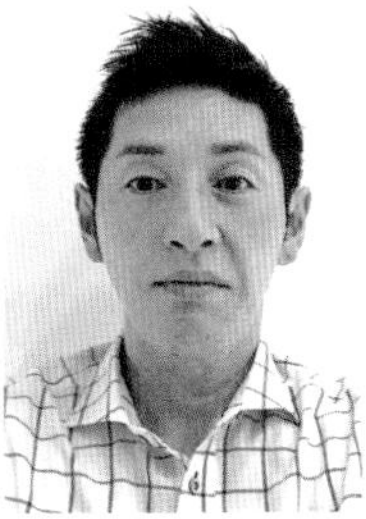

村井正一さん（39歳）

3ヵ月で

体重
87.9kg → 81.8kg

体脂肪
24.6% → 21.6%

生活スタイルを全く変えずにやせられた

平日の夜は、最低でも週に2回は仕事での飲み会。たまにそのまま帰れる日でも、会社から自宅まで1時間以上もかかるため、夕食は深夜。そんな生活を続けていたら太りますよね。気づいたら、学生のころと比べると10kg以上も増えていました。

このままメタボにはなりたくない。そんな思いで始めたのがロカボです。実践してみてわかったのは、生活スタイルは変えなくてもいいこと。食べるものを糖質からたんぱく質や脂質、食物繊維に置き換えるだけでしたからね。それでも体はスッキリしました。

3カ月で

酒井純子さん
（45歳）

体重 60.7kg → 54.5kg

体脂肪 31.7％ → 29.4％

3カ月で

酒井宏明さん
（51歳）

体重 83.9kg → 77.1kg

体脂肪 31.4％ → 29.7％

運動もしないのに、おなかまわりがスッキリ

一人娘のために一念発起して夫婦でロカボにチャレンジしました。これまでもカロリー制限などで減量に取り組んだことはありましたが、こんな楽しいダイエットは初めてでした。**お肉を思う存分食べられるダイエット**なんて、考えてもいませんでしたからね。

ロカボは、食材の選び方や調味料の使い方など低糖質にするコツがわかってくると、意外と簡単です。しかも、工夫やアイデアしだいでいろいろな料理が楽しめます。

おかげで、しっかり食べて、運動もしないのに、おなかまわりからみるみるやせることに成功しました。私は、夫と出会ったころの体重に戻ったし、夫は**糖尿病一歩手前から健康体に戻れました**。娘のためにも、これからも山田先生の食事術を続けていこうと思っています（純子さん）。

脂質をたくさん摂ると、体脂肪を燃やしやすい体質になる

2章で紹介したDIRECT試験*9によると、脂質を制限するよりも糖質を制限するほうが、減量効果が高いことがわかります。これは、糖質を控えるようになると、エネルギー源として脂肪を利用しやすい体質になるからです。

人間の体は、まず糖質と脂質をいずれも上手に燃やしてエネルギーに換えています。ただ、ふだんから糖質の摂取が多いと糖質中心でエネルギーを燃やすようになり、ふだんから脂質の摂取が多いと脂質中心でエネルギーを燃やすようになります。

糖質中心でエネルギーを燃やすときに使う体内の蓄積糖質（グリコーゲン）は、わずかに300～350g程度。体重への影響は大きくありません。

しかし、脂質中心でエネルギーを燃やすときに使う体内の蓄積脂肪（内臓脂肪や皮

ロカボなら脂質を早い段階から使えるようになる

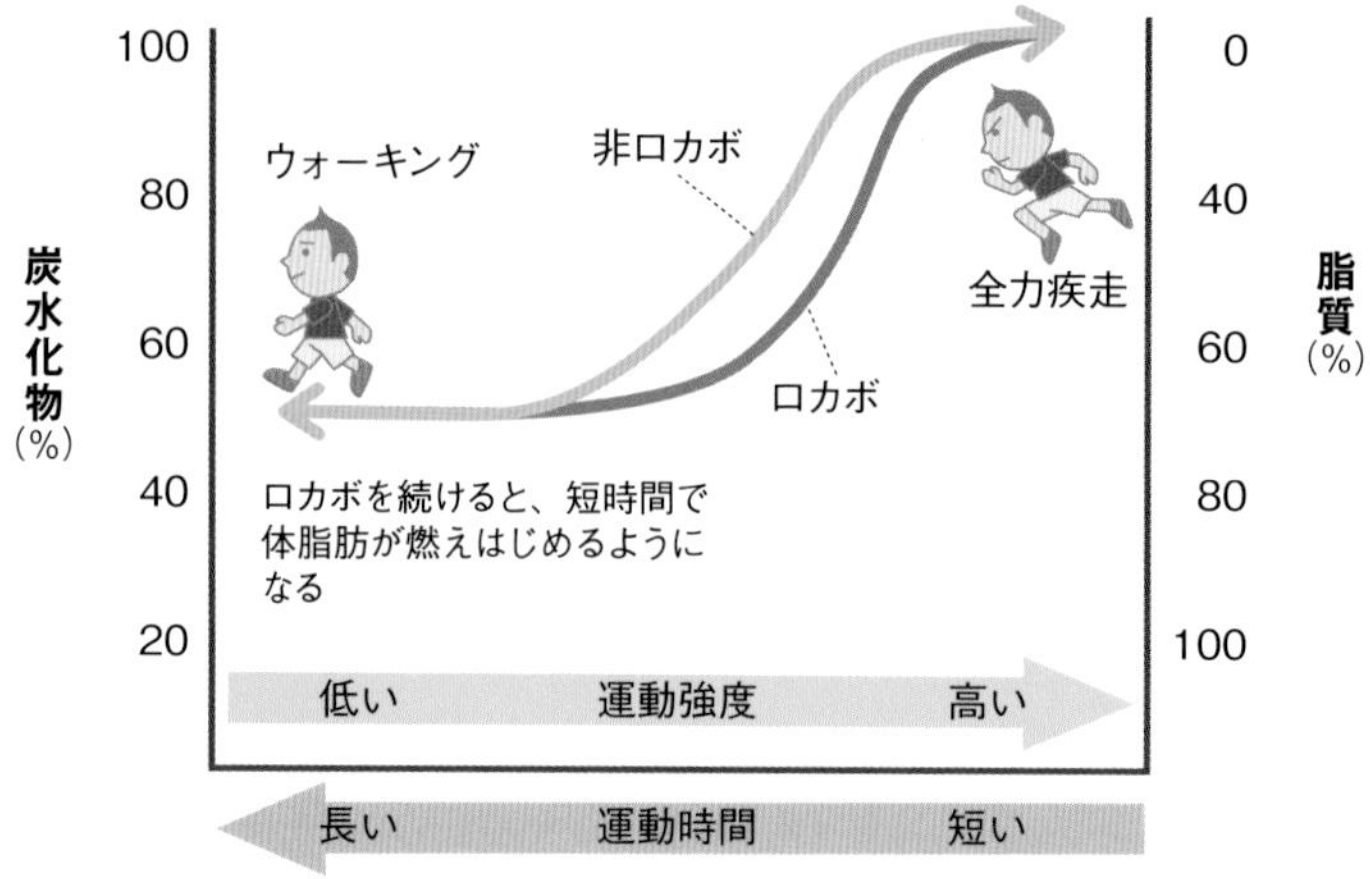

下脂肪）は、10kg以上あります。これを燃やしてくれるわけですから体重は減りやすくなります。つまり、糖質を控え、脂質をしっかり食べていると体脂肪を燃やす体質になるということです。

ロカボが、糖質を控えるだけであとはおなかいっぱい食べても太らないのは、そもそも満腹感でエネルギー摂取を適量にするということと（満腹感を生じにくいのは糖質だったことを思い出してください）、内臓脂肪や皮下脂肪に蓄積した脂質を上手にエネルギーとして使えるようになるからなのです。

食べながら筋力アップを図るロカボで寝たきり老後を回避する

健康志向のカロリー制限食、脂質制限食、極端な糖質制限食と、ロカボが決定的に違うのは、たんぱく質や脂質をおなかいっぱい食べられる点と食生活を楽しもうとしている点です。それは、**健康になりたい、やせたいとストイックに頑張る食事法のデメリットを解消する**ことになります。

カロリー制限食でも、やせることはできると思います。ただし、それと引き換えに、**大切な筋肉**[*10]**や骨**[*11]**を衰えさせるリスクを抱える**ことになります。

というのは、第一に、エネルギーが不足すると、エネルギー消費を減少させる必要が生じ、エネルギー消費が最も大きくなる臓器である筋肉を分解してエネルギーの収支バランスを整えようとする、という事態を招くからです。

第二に、筋肉のみならず骨をつくるたんぱく質も不足すると、筋力は落ちてくるし、骨密度も、骨質も悪くなります。結果として、転倒しやすくなり、また、簡単に骨折したりして、寝たきりを招くことになります。

脂質制限食は、それ単独でのメリットが存在しません。[*12] 脂質制限食での減量を試みた臨床試験で、エネルギー制限を伴わない試験を私は知りません。おそらく存在しないでしょう。一方、糖質制限食はエネルギー制限を意識せずにエネルギー摂取を適正化できるので、糖質制限食単独で効果を発揮できます。脂質を控えても高脂血症はよくなりませんし（悪化する可能性が高いです）、肥満症予防にもなりませんし（エネルギー制限を伴うことが必須《ひっす》です）、動脈硬化症にもメリットはないのです。[*13]

極端な糖質制限食の最大のデメリットは、あまりのつらさからリバウンドにつながりやすいところです。[*14] また、主食を控えるだけでおかずを増やすことを意識しない糖質制限食も、結果としてとんでもないエネルギー摂取量の減少を起こしたりして、結局リバウンドすることにつながります。[*15]

ロカボ以外のいずれの食事法も、空腹感をがまんしながらやみくもに腹八分目を意識するような、かつて推奨されてきたストイックな食事法になりがちです。そして、それらは、いずれも超高齢社会を迎えようとしている日本にとって大問題。日本の平

高齢者のたんぱく質・脂質不足はとっても危険！

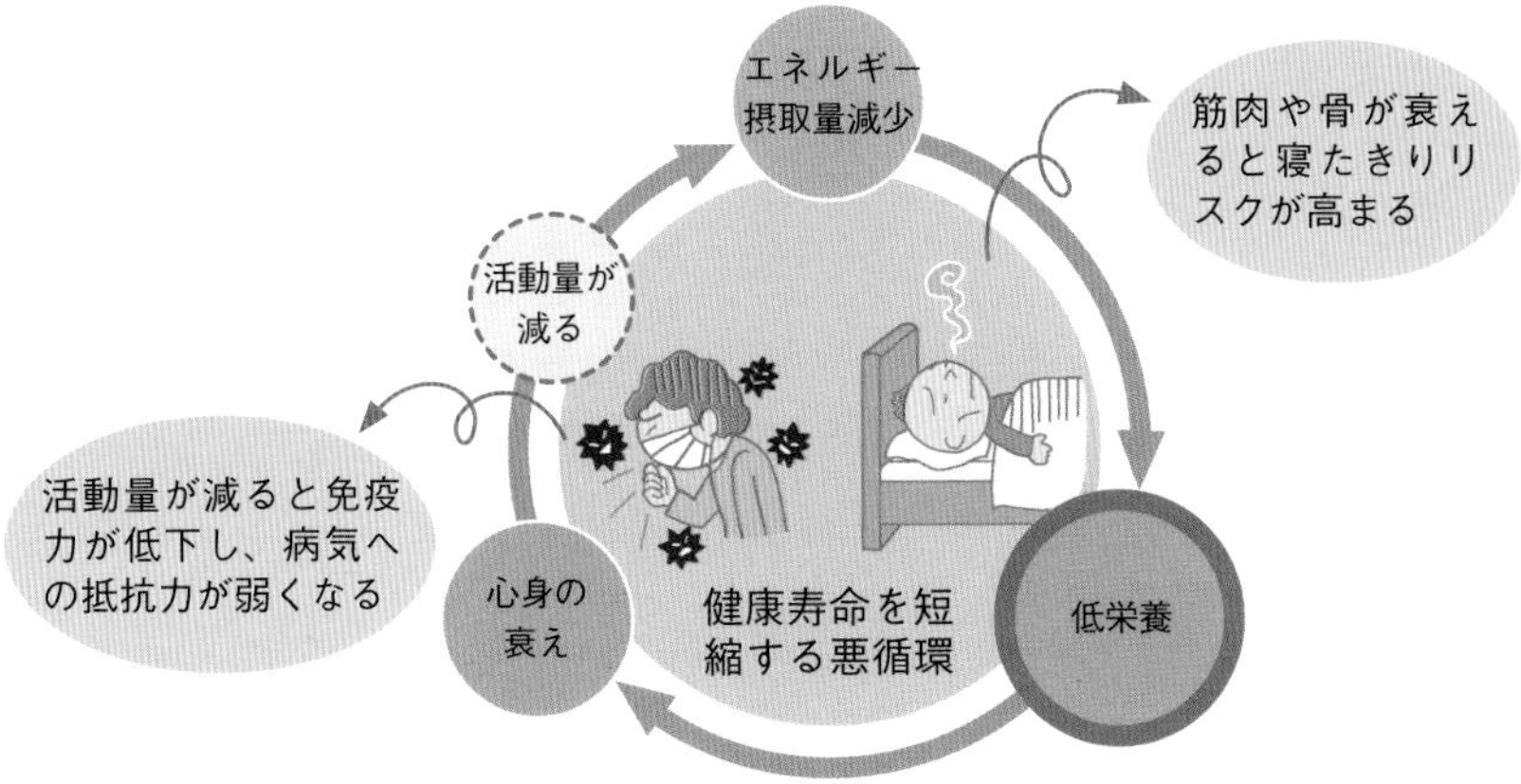

均寿命は世界でもトップクラスですが、介護に頼ることなく自立して生活できる期間といわれる健康寿命と比べると、男性で約9年、女性で約12年の差があります。

これが何を意味するかというと、介護のお世話になったり、最悪は寝たきりになったりする老後が10年くらいあるということです。

最後まで、自分の行きたいところへ、自分の足で移動したいと思いませんか？　そのためにも、たんぱく質も脂質もしっかり摂る必要があるのです。もちろん、運動（特に筋トレ）も加えるべきですが、たんぱく質をしっかり摂っていると、それだけで（筋トレなしに）筋肉はちゃんと増えるのです。

高血圧に悪いノンオイル食生活。ロカボを続けると塩分控えめになる

糖尿病の人は高血圧になりやすいといいます。実際、糖尿病患者の40～60％が高血圧を持っているといいます。**糖尿病の人が高血圧になると、糖尿病性腎《じん》症や網膜症などの合併症の発症や進行を早めるだけでなく、動脈硬化が起こりやすくなることで心血管疾患《しっかん》による死亡リスクを高めることになる**ので注意が必要です。

もとをたどれば、やはり糖質過多による高血糖。蓄積した内臓脂肪から分泌《ぶんぴつ》されるホルモンによって血圧が上がりやすくなります。

また、日本人は、**糖質摂取と塩分摂取が正の相関**（片方が増えると、もう片方も増えるという関係性）[*16]。塩辛があったら、白米にのせて食べたいですよね。どうも体の中で塩（ナトリウム）と糖（ブドウ糖）は同じ分子を用いて吸収されるメカニズムがあり、お互いがお互いを求め合う作用がありそうです[*17]。

塩分摂取が増えると、それを尿に捨てるために血圧は上がります。

糖尿病になると心血管疾患による死亡リスクが高くなる

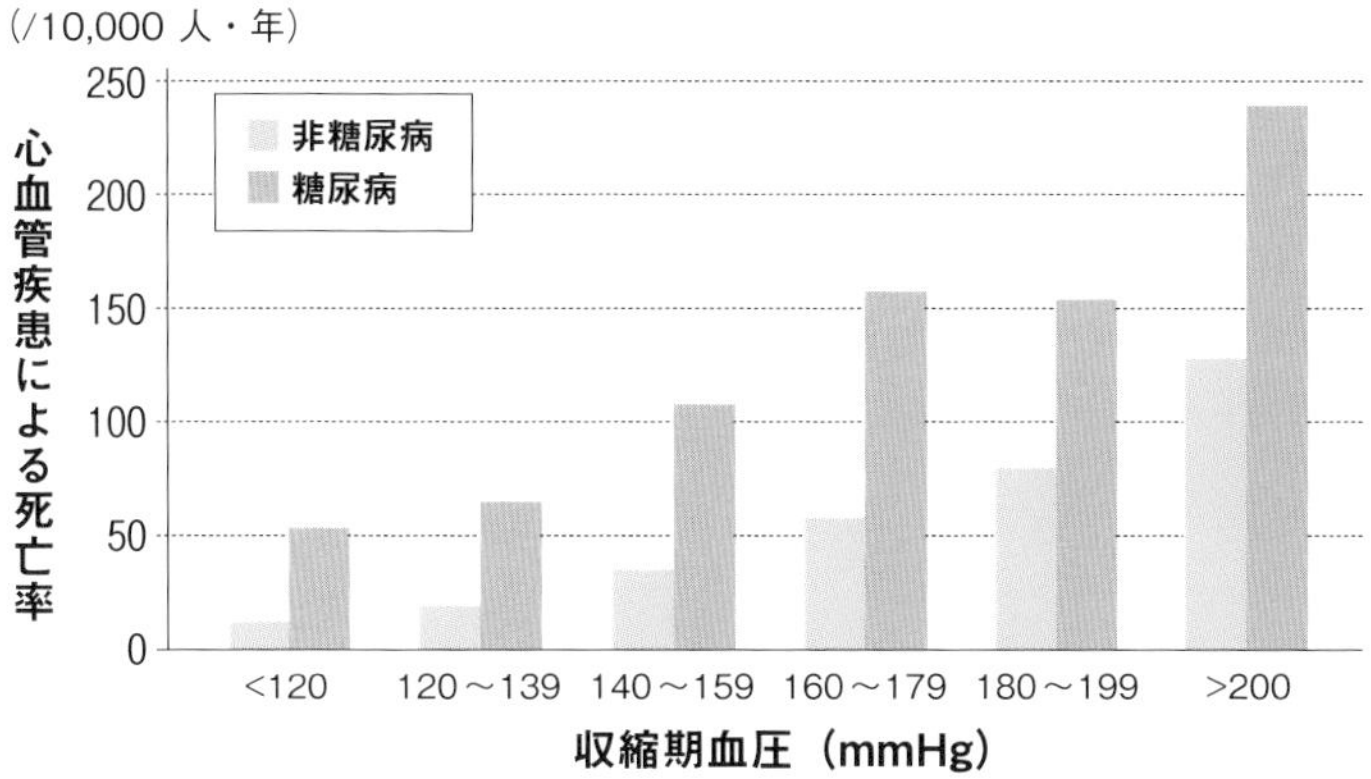

(Stamler J et al. Diabetes Care 16(2):434-44,1993)

一方、**糖質の摂取と負の相関**（片方が増えると、もう片方が減るという関係性）にあるのが**脂質摂取**。[*16] **脂質摂取は塩分摂取とも負の相関です**。味つけをさ・し・す・せ・そ（砂糖＝糖質、塩＝塩分、酢＝これはOK、しょうゆ＝塩分、みそ＝塩分）で考えることはせず、油脂での味つけを積極的に考えるべきです。

つまり、オリーブ油、ゴマ油、（無塩の）バター、マヨネーズ、ラー油、生クリームなどなど、油脂を用いた味つけを意識することで、おのずと糖質や塩分を制限し、高血圧にもいい食生活を実現できるようになります。

血糖値を下げる食べ方には免疫力を低下させない効果もある

血糖値を下げる食べ方の健康効果として最後に紹介するのは、免疫力です。

ロカボで免疫力をアップするとはいえませんが、糖質を控えて、食後高血糖を起こさない食生活を続けていると、免疫力を低下させないといえます（ちなみに、世の中に免疫力アップをうたう商品が存在していることを認識してはいますが、そもそも免疫力をアップするとはどういう状態なのか不明だというのが私の認識です。人間の免疫力は、本来、成育した段階である意味完成したものです。そこになんらかの障害が加われば免疫力は低下するので、これはさけるべきです。

しかし、何かの効果で変に免疫力がアップするのだとしたら、ことによると自己免疫疾患とかアレルギーとか不要な免疫反応が生じかねないと危惧します。不必要な免疫反応は起こさず、必要な免疫反応を適切なタイミングで発動し、適切なタイミングで終息させる。これこそが完成された免疫力です）。

なぜなら、**血糖値が正常範囲であれば、免疫担当細胞である白血球を含む、すべての細胞にとって負担がない、最適に働ける環境になるからです。**

高血糖状態になると、過剰な免疫反応を抑制する免疫チェックポイント分子が出現してくるとの報告があります。[*18] この免疫を抑制するたんぱく質・免疫チェックポイントの一つ「ＰＤ－１」を発見し、がん免疫治療薬「オプジーボ」の開発につなげたのが、ノーベル生理学・医学賞を受賞した本庶《ほんじょ》佑《たすく》先生（京都大学名誉教授）たちです。[*19]

免疫チェックポイント分子が出現するとどうなるか？　簡単にいうと、本来は細菌やウイルスと戦わなければいけない白血球が寝てしまうのです。糖尿病の方は新型コロナウイルスに罹患《りかん》する確率は一般の方と相違ないものの、重症化して集中治療室に入る確率は一般の方よりも高かったとの報告があります。[*20] **高血糖では、白血球が寝てしまって、重症化しやすくなるのでしょう。**

ロカボは免疫力をアップする食事法とはいえません。しかし、完成された免疫力の維持にはつながります。糖質過多・食後高血糖からはじまる**「メタボリックドミノ」が倒れないようにロカボを続けることで、感染症を含むさまざまな病気の発症や重症化の予防につながることは間違いないでしょう。**

子どもも、大人も、高齢者も、ロカボで損する人はいない

ここまで紹介してきたように、血糖値を下げる食べ方であるロカボには、血糖値が高めの人や糖尿病の方の血糖値を安定させるだけでなく、糖質過多・食後高血糖からはじまるさまざまな健康被害からあなたを守る効果が期待されます。

ロカボをはじめる動機は、もちろん血糖値を下げることでもいいですし、この章で紹介してきたことを目的としてもかまいません。

例えば、高齢の方なら、認知機能の低下を予防する、転倒骨折による寝たきり生活を予防することを目的としてもいいでしょう。

中高年の方なら、おなかまわりが気になりはじめたメタボの改善や予防、糖尿病、動脈硬化の予防を目的とするのもいいでしょう。

中高年の女性の方なら、スタイルや美しさを維持するためでもいいですし、さけて

は通れない**更年期対策**のためでもいいですし、圧倒的に女性の割合が多い**骨粗しょう症対策**でもいいでしょう。

運動しているお子さんなら、親が実践するロカボでたんぱく質を摂ると体づくりに有益です。血糖変動を抑制すればパフォーマンスアップが期待できます。私はサッカーの長友《ながとも》佑都《ゆうと》選手の食事指導にあたっています。[＊21] 彼のようなパフォーマンスを発揮したいアスリートはぜひ取り組んでみてほしいです。

また、昔と比べると、2型糖尿病を発症する子どもが増えてきています。これは、社会全体の糖質過多の食生活が子どもに影響を与えているのかもしれません。正しい食の知識を身につけ、お子さんの将来の健康増進のためにも、家族でロカボを始めるのもいいでしょう。

いずれにしてもいえることは、**ロカボは誰にでも効果がある食事法**だということです。そして、**がまんせず、おなかいっぱい食べられる、長く続けられる食事法**だということです。

おわりに

血糖値を下げるためには、糖質を控えておなかいっぱい食べることです。
ただし、糖質を控えておなかいっぱいになるためには、
ひと工夫が必要なこともあります。

例えば、たんぱく質をたくさん摂るために肉や魚は特売の日に買うとか、
食物繊維をたっぷり摂るために
野菜は旬《しゅん》でとれたてのものを優先的に買うとか。
食べ方もひと工夫です。
とんかつにはソースをかけずに、塩やレモンをかけて食べるとか、
キャベツにはオリーブ油やマヨネーズをかけるとか。
量を食べたいときは白米少しとカリフラワーライスにするとか、
中華料理の〆は、チャーハンではなくマーボー豆腐にするとか、

どうしてもデザートをしっかり食べたいときは、白米ご飯を抜くとか。
これが、血糖値を下げる「ロカボ」の食べ方です。
がまんするというより、どうやったらおなかいっぱいになるかな、
どうやったら少ない糖質で満足できる食事になるかな、
と工夫するのがロカボを続けるコツなのです。
お皿いっぱいのから揚げやボリュームたっぷりのステーキに、
あまり健康的というイメージはないでしょうが、それでこそ血糖値は下がります。
私は、そんな血糖値が下がる食生活のことを、
「賢い不摂生」と称することがあります。
私自身、不摂生が大好き。不摂生こそが人生の醍醐《だいご》味《み》だと思います。
患者さんだけでなく、医療関係者の方々に驚かれることもありますが、
糖質さえ控えていれば、
おなかいっぱい食べても血糖値はコントロールできるのです。
あなたも、おいしく、楽しく続けられるロカボを始めてみませんか。

山田　悟

14. Nutrients 2018; 10(8): 1080
15. J Gerontol A Biol Sci Med Sci 2015; 70(9): 1097-1104
16. Keio J Med 2017; 66(3): 33-43
17. Br J Nutr 2014; 111(9): 1632-1640

第 3 章
1. JAMA 2014; 312(23): 2531-2541
2. Diabetes Care 2015; 38(10): 1820-1826
3. J Nutr 2014; 144(6): 876-880
4. Ageing Res Rev 2017; 39: 46-58
5. JAMA Intern Med 2020; 180(11): 1491-1499
6. Asia Pac J Clin Nutr 2011; 20(2): 161-168
7. Diabetologia 2016; 59(3): 453-461
8. BMJ Open Diab Res Care 2017; 5: e000440
9. Diabet Med 1988; 5(1): 13-21
10. J Clin Endocrinol Metab 2015; 100(6): 2434-2442
11. J Clin Invest 2009; 119(5): 1322-1334
12. Diabetes Care 2002; 25(1): 148-198
13. Exerc Sport Sci Rev 2013; 41(3): 169-173
14. 日本人の食事摂取基準（2020 年版）page 106-126
15. WHO Technical Report Series 935. WHO／FAO／UNU Expert Consultation. page243
16. J Int Soc Sports Nutr 2019; 16(1): 35
17. Am J Clin Nutr 2007; 85(6): 1545-1551
18. Appetite 2011; 57(1): 179-183
19. 厚生労働省 e- ヘルスネット（速食いと肥満の関係 - 食べ物をよく「噛むこと」「噛めること」| e- ヘルスネット（厚生労働省）(mhlw.go.jp)）
20. Sci Rep 2019; 9(1): 8210

第 4 章
1. 日本臨床 2003; 61(10): 1837-1843
2. JAMA Intern Med 2018; 178(8): 1098-1103
3. Diabetes Care 1999; 22(6): 920-924
4. Diabetes Care 2010; 33(10): 2169-2174
5. Neurochem Res 2017; 42(2): 583-594
6. Am J Physiol Endocrinol Metab 2001; 281(5): E924-E930
7. J Alzheimers Dis 2009; 16(4): 677-685
8. CNS neurol disord drug targets 2014; 13(2): 259-264
9. N Engl J Med 2008; 359(3): 229-241
10. Nutr Rev 2010; 68(7): 375-388
11. Adv Nutr 2019; 10(6): 1089-1107
12. JAMA 2015; 313(24): 2421-2422
13. Open Heart 2021; 8: e001680
14. Am J Clin Nutr 2006; 83(5): 1055-1061
15. PLoS One 2017; 12(12): e0188892
16. New Diet Therapy 2016; 32(2): 224
17. Curr Hypertens Rep 2019; 21(8): 63
18. JCI insight 2018; 3(20): e123047
19. EMBO J 1992; 11(11): 3887-3895
20. Diabetes Metab Syndr 2020; 14(4): 395-403
21. 長友佑都のファットアダプト食事法 幻冬舎 2019 年

参考文献

第1章

1. J Clin Endocrinol Metab 2009; 94(11): 4463-4471
2. Diabetes Care 2018; 41: e76-e77
3. J Diabetes Investig 2015; 6(3): 289-294
4. 日本人の食事摂取基準（2020年版）page70: 図12
5. Lancet Diabetes Endocrinol 2017; 5(12): 951-964
6. Nature 2012; 489(7415): 318-321
7. N Engl J Med 2013; 369(2): 145-154
8. Diabetes Care 2014; 37(10): 2822-2829
9. J Bone Miner Res 2016; 31(1): 40-51
10. Diabet Med 2015; 32(9): 1149-1155
11. Diabetes Care 2016; 39(5): 808-815
12. BMJ 2013; 346: e8707
13. BMJ 2016; 353: i1246
14. Am J Clin Nutr 2017; 106(1): 35-43
15. Diabetes Care 2006; 29(9): 2140-2157
16. Dietary Reference Intakes: page265-338, Institute of Medicine
17. 糖尿病 2013; 56(7): 409-412
18. JAMA 2015; 313(24): 2421-2422
19. N Engl J Med 2008; 359(3): 229-241
20. J Clin Lipidol 2009; 3(1): 19-32
21. Circulation 2011; 123(20): 2292-2333
22. Diabetes Care 2013; 36(11): 3821-3842
23. Diabetes Care 2019; 42(5): 731-754
24. Diabetology 2021; 2(2): 51-64
25. 国立健康・栄養研究所ホームページ（国民健康・栄養調査｜国立健康・栄養研究所 (nibiohn.go.jp)）（02.xlsx (live.com)）
26. Intern Med 2014; 53(1): 13-19
27. Br J Sports Med 2018; 52(6): 376-384
28. Med Sci Sports Exerc 2019; 51(4): 798-804
29. Cell 2014; 156(1-2): 84-96
30. Nat Commun 2013; 4: 1829

第2章

1. J Diabetes Investig 2015; 6(3): 289-294
2. JAMA 2017; 317(24): 2515-2523
3. JAMA Intern Med 2018; 178(8): 1098-1103
4. JAMA 2006; 295(14): 1681-1687
5. BMJ Open Diab Res Care 2021; 9(1): e001923
6. Cardiovasc Diabetol 2021; 20(1):15
7. Diabetes Care 2010; 33(10): 2169-2174
8. Diabetes Care 2010; 33(6): 1389-1394
9. Progress in Medicine 2005; 25(1): 69-73
10. Nutr Metab Cardiovasc 2004; 14(6): 373-394
11. Diabetes Care 2019; 42(5): 731-754
12. JAMA 2014; 312(12): 1218-1226
13. N Engl J Med 2008; 359(3): 229-241

著者紹介

山田 悟（やまだ　さとる）

医学博士
北里大学北里研究所病院
副院長、糖尿病センター長

1994 年、慶應義塾大学医学部卒業。

糖尿病専門医として多くの患者と向き合う中、カロリー制限中心の食事療法では、食べる喜びが損なわれている事実に直面。患者の生活の質を高められる糖質制限食に出合い、積極的に糖尿病治療へ取り入れている。

日本内科学会認定内科医・総合内科専門医、日本糖尿病学会糖尿病専門医・指導医、日本医師会認定産業医。

運動をしなくても血糖値が みるみる下がる食べ方大全

2021年11月16日　第1刷発行
2023年 6 月12日　第19刷発行

著　　者　山田 悟

編 集 人　辺土名 悟
編　　集　わかさ出版
企画協力　山田サラ
編集協力　洗川俊一
装　　丁　下村成子
本文デザイン　ドットスタジオ／G-clef
撮　　影　よねくらりょう
イラスト　石玉サコ
校　　正　東京出版サービスセンター／荒井よし子
発 行 人　山本周嗣
発 行 所　株式会社文響社
〒105-0001　東京都港区虎ノ門２丁目２－５
共同通信会館9階
ホームページ　https://bunkyosha.com
お問い合わせ　info@bunkyosha.com
印刷・製本　株式会社光邦

ISBN 978-4-86651-436-9